LES SECRETS DE BEAUTÉ D'AUTREFOIS

Connectez-vous :
www.lamartiniere.fr

© 2002 Éditions Minerva, Genève (Suisse)
ISBN : 2-8307-0649-8

LES SECRETS DE BEAUTÉ D'AUTREFOIS

Par le docteur Henry Puget

et Régine Teyssot

Illustrations de Bertrand Cure

Minerva

SOMMAIRE

PRÉFACES

De la tête aux pieds nos grands-mères savaient rester belles et jeunes grâce à des produits naturels, à des petits trucs et des petits secrets. Elles savaient également que « la peau est un livre ouvert qui raconte l'intérieur » et donc ingéraient certains remèdes « magiques » qui leur permettaient d'avoir un éclat extérieur hors du commun.

La chirurgie plastique n'existait pas à l'époque. Elles devaient donc rester belles et jeunes le plus longtemps possible en se servant de ce qu'elles avaient sous la main.

Ces petits « trucs », nous vous les dévoilons dans ce livre plein de bon sens, de simplicité et d'efficacité ! Il est évident qu'il ne faut attendre aucun « miracle » d'un quelconque ingrédient cité dans ce livre.

Par contre, les résultats seront d'autant plus efficaces que tous ces produits sont naturels à 100 % et donc très bien acceptés par l'organisme humain.

Docteur Henry Puget

Je me souviens de ma grand-mère se préparant pour sortir le soir. Je glissais un œil par la porte de la salle de bains entrebâillée. Elle saisissait une grosse houppette en cygne rose pâle qu'elle trempait dans une poudre rose pâle elle aussi et s'en « tamponnait » copieusement le visage. Elle disparaissait alors dans un nuage, toujours rose. On aurait dit une fée… Elle me faisait rêver.

Elle me faisait rire aussi, quand, les petits matins d'été, elle offrait son visage au soleil timide, en buvant son café les deux coudes dans une soucoupe remplie d'huile d'amande douce.

Et j'adorais par-dessus tout ouvrir les grandes armoires pleines de draps blancs bien alignés et « entrelardés » de sachets aux épices ou aux fleurs. Nous profitions même de ses masques à l'argile pour jouer aux fantômes…

Bref, tous ces souvenirs s'accompagnent de recettes de beauté qu'elle préparait dans la grande cuisine… Et elle avait la peau si douce.

C'est cela que j'ai eu envie de vous faire partager avec ces recettes de beauté quelquefois oubliées ou qui reviennent à la mode. La nature est généreuse et… nettement moins chère ! Alors si vous avez un peu de courage et de curiosité… Vous verrez, ce n'est pas difficile du tout !

Régine Teyssot

AVANT-PROPOS

La première recette de beauté est l'hygiène.
Veillez donc à toujours avoir du matériel propre.
Lavez le plus souvent possible vos pinceaux au savon
de Marseille, rincez vos éponges de temps en temps
à la Javel. Pour vos houppettes de cygne, plongez-
les dans une boîte remplie de talc et secouez énergiquement. Faites cela deux ou trois fois et votre
houppette sera dégraissée.

Et bien entendu, ne commencez jamais un soin ou
une application de crème ou de lotion sur un visage
qui n'aurait pas été lavé au préalable. Mesdames,
n'oubliez jamais de vous démaquiller le soir, même
si votre seule envie est de vous jeter sur votre lit.

Ne vous touchez pas le visage avec des mains sales.

Protégez votre visage quotidiennement.

Allez respirer l'air pur de la campagne si vous êtes
citadines, il n'y a rien de mieux pour revenir avec
les joues rouges.

Nourrissez-vous intelligemment.

Ne buvez pas trop.

Ne vous couchez pas trop tard.

Et surtout, ne fumez pas. Le tabac entraîne une
diminution du calibre des vaisseaux sanguins, donc
une déficience en oxygène au niveau cellulaire.

Si l'eau de votre robinet est très calcaire, utilisez pour vos rinçages (visage, cheveux) de l'eau minérale ou de l'eau adoucie (adoucisseur ou pot à eau spécial anticalcaire que l'on trouve dans les magasins et chaînes bio).

Et enfin, utilisez au maximum des légumes et des fruits bio pour vos préparations, si vous en avez la possibilité.

POUR LE VISAGE

LA PEAU

1. FONCTIONS

La peau est un véritable organe de revêtement qui possède plusieurs fonctions fondamentales :
– barrière protectrice du milieu extérieur parfois hostile et agressif (coups, chocs, pressions, radiations, microbes…) ;
– régulateur de la température ;
– reconnaissance du monde extérieur grâce à la multiplicité de ses capacités sensorielles ;
– communication par rapport au monde extérieur par sa capacité d'expression d'états d'âme très différents (la honte se traduit par la rougeur, la colère et la peur par la pâleur, l'anxiété par la transpiration…) ;
– support obligatoire du cinquième sens de l'être humain, le toucher, composé à lui seul de plusieurs sensibilités : pression, douleur, chaleur, froid…

2. CARACTÉRISTIQUES

La peau est le plus grand organe du corps. Son poids représente de 1,8 à 2,7 kg. Sa surface totale dépasse 1,60 m².
Elle est recouverte d'un mélange de sueur et de sébum qui constitue un film hydrolipidique, premier rempart de protection contre les agressions diverses. Cette fine émulsion hydrolipidique maintient un taux d'hydratation cutanée normal et confère à la peau son aspect velouté.
Ses cellules, dont le nombre est évalué à environ 300 millions, se renouvellent de manière naturelle tous les 21 à 28 jours, avec une perte de 4 % du nombre total de cellules du corps chaque jour.

Elle possède des millions de terminaisons nerveuses qui véhiculent les informations extérieures jusqu'au cerveau. Le corps étant composé de 75 à 80 % d'eau, la peau en contient environ 30 à 35 %.

3. STRUCTURE

Elle se compose de trois étages fondamentaux :
– l'épiderme en surface ;
– le derme en profondeur ;
– l'hypoderme en dessous du derme.

COUPE SCHÉMATIQUE DE LA PEAU

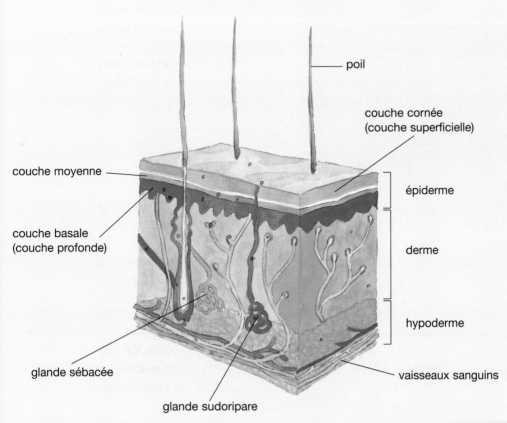

poil

couche cornée
(couche superficielle)

couche moyenne

épiderme

couche basale
(couche profonde)

derme

hypoderme

glande sébacée

vaisseaux sanguins

glande sudoripare

L'épiderme

Revêtement externe de la peau, l'épiderme est la première barrière de protection de l'organisme contre les agressions chimiques, physiques, microbiennes et contre les radiations solaires.

Il présente trois couches différentes composées de cellules à la manière d'un mur de briques :

– la couche superficielle, ou couche cornée, constituée de cellules kératinisées qui s'éliminent en permanence en se desquamant ;

– la couche moyenne, composée de kératinocytes qui montent progressivement vers la surface pour reconstituer la couche cornée au fur et à mesure ;

– la couche profonde, ou couche basale, dans laquelle naissent les cellules qui remontent ensuite vers la surface, allant renouveler en permanence la couche cornée.

Ces différentes couches ne contiennent aucune vascularisation.

Dans la partie profonde de l'épiderme, on trouve les mélanocytes, cellules responsables de la coloration de la peau et des cheveux, grâce à son pigment, la mélanine. Ce pigment possède également un rôle de protection vis-à-vis des rayons ultraviolets nocifs du soleil. Le bronzage n'a pas seulement pour effet de vous donner bonne mine : il protège des coups de soleil éventuels qui constitueraient une véritable brûlure de l'épiderme en absorbant l'énergie de la lumière solaire.

Le derme

Située en profondeur, en dessous de l'épiderme, cette couche cellulaire peut être comparée à un terreau de la peau. C'est lui qui reçoit « l'arrosage » par le biais des vaisseaux sanguins, lui qui porte les racines des glandes sébacées et sudorales, lui également qui rend le sous-sol solide grâce aux fibres qu'il contient. Les fibres collagènes assurent le maintien et la résistance de la peau : elles représentent 90 % du tissu dermique. Les fibres d'élastine permettent la souplesse et l'élasticité de la peau.

L'hypoderme ou tissu cellulaire sous-cutané

Il est considéré comme le matelas adipeux de l'organisme qui donne à la silhouette ses formes harmonieuses. C'est lui qui contient les fameuses cellules épaisses plus ou moins volumineuses, les adipocytes.

Les glandes sudorales ou glandes sudoripares

Situées dans le derme moyen ou profond, ces glandes sont responsables de la transpiration. Au nombre de 2 à 5 millions, elles donnent naissance à un petit tuyau qui sécrète la sueur.

Le rôle de cette sueur est indispensable pour le maintien d'une température constante du corps. L'organisme humain élimine une grande partie de ses calories par évaporation de cette sueur. C'est donc grâce à ce phénomène que la température du corps va baisser quand il a de la fièvre, ou lors d'une activité sportive intense. Si l'on obstruait tous les orifices sudoraux d'un organisme, la température augmenterait considérablement dès le moindre effort physique et provoquerait la mort.

Par ailleurs, cette sueur contribue à hydrater la couche cornée, à se défendre contre les bactéries et les champignons qui voudraient coloniser la peau, ou, plus banalement, à nous aider à attraper des objets car la peau trop sèche au niveau des mains rend maladroit.

Les glandes sébacées

Ce sont de petites glandes annexées aux follicules pileux, en forme de grappes, constituées de lobes contenus dans le derme, qui sécrètent ce mélange huileux qu'est le sébum. Le rôle de ce sébum est de former, avec les sécrétions sudorales et la dégradation des cellules cornées, un film cutané de surface pour maintenir constante l'hydratation de la peau, lui donner sa souplesse et sa relative imperméabilité et jouer un rôle dans le maintien de la flore bactérienne résidente.

Les poils

Le poil constitue avec la glande sébacée le follicule pilo-sébacé. Ce follicule se situe en profondeur du derme et le poil lui-même remonte à la surface cutanée pour terminer à l'extérieur de l'épiderme.

Les vaisseaux sanguins

Ils assurent la nutrition des couches de la peau, participent à la régulation thermique du corps et véhiculent les éléments entrant dans les réactions immunitaires de défense de l'organisme. Les vaisseaux cutanés arrivent par l'hypoderme, traversent tout le derme jusqu'aux papilles, forment un réseau de capillaires artério-veineux, d'où le sang repart sans avoir atteint l'épiderme.

Les terminaisons nerveuses

La peau renferme des millions de terminaisons nerveuses qui transmettent les informations extérieures au cerveau. Certaines fibres apportent l'influx nerveux du cerveau vers la peau de manière inconsciente : c'est le cas pour les phénomènes de vaso-constriction et de sécrétion sudorale.

En sens inverse, les fibres permettent les informations sensitives comme le toucher (appréciation des pressions, des vibrations...), la douleur (brûlures, piqûres, démangeaisons...), ou la sensibilité thermique au chaud et au froid.

4. LES CAUSES DU VIEILLISSEMENT DE LA PEAU

Le vieillissement cutané représente l'ensemble des modifications bio-physico-chimiques de la peau au fur et à mesure de l'avancée en âge de l'organisme. De nombreuses causes interviennent dans ces altérations.

Les facteurs génétiques

Ils peuvent intervenir dans le processus du vieillissement cellulaire.

Le tabac

La fumée de cigarette et la nicotine accélèrent le vieillissement cutané de certaines parties du visage. La peau du fumeur est plus épaisse que la normale, sa couleur plus terne (légèrement grise), sa texture rugueuse. Le visage est plus maigre et les joues creuses. Les rides sont nombreuses (joues, angle droit des lèvres, angles externes des yeux).

L'alimentation et l'alcool

Suralimentation, mauvaise alimentation et consommation excessive d'alcool contribuent à accélérer le vieillissement des organismes. L'alcool en grande quantité reste un « poison » pour le foie avec atteinte de l'état général.

Le stress

La peau étant le reflet externe de l'intérieur du corps, toutes les angoisses et tous les états de stress de la vie entraînent des dégâts extérieurs.

La pollution

Les particules polluantes d'un air vicié par les gaz d'échappement et les fumées d'usine altèrent le fonctionnement des cellules de l'épiderme. Les échanges gazeux se font de plus en plus mal, le renouvellement des cellules de l'épiderme est plus lent.

Les rayons solaires

Ils peuvent dérégler et accélérer le processus de vieillissement par perturbation de la microcirculation de la peau et augmentation de la production de radicaux libres.

Les carences vitaminiques

Les principales vitamines impliquées dans le phénomène de structuration cellulaire de la peau sont les vitamines A, C et E.

La vitamine A assure la croissance de l'organisme, intervient dans le développement de la structure du squelette, augmente la résistance aux infections et joue un rôle primordial dans la formation des tissus.

La vitamine C, ou acide ascorbique, joue un rôle important dans le processus de synthèse du collagène et de l'élastine de la peau. Elle permet également de diminuer l'action nuisible des rayons UV.

La vitamine E assure la protection cellulaire face aux agressions du temps. Sa principale propriété est d'être antioxydante. Toute carence vitaminique peut donc entraîner des problèmes majeurs sur le vieillissement cutané.

Les maladies

Qu'elles soient d'origine externe ou d'origine interne, toutes les maladies vont obligatoirement entraîner un vieillissement cutané plus rapide que la normale.

5. LES DIFFÉRENTS TYPES DE PEAU

Peau grasse

C'est une peau dont les glandes sébacées sont hyperactives. Elles produisent trop de sébum et en sécrètent constamment, ce qui donne au visage un aspect gras et luisant. De plus, cette peau retient poussières et impuretés qui obstruent les pores : c'est alors qu'apparaissent les points noirs.

Peau acnéique

Cette peau se remarque chez les adolescents à la puberté. C'est un symptôme qui devrait s'arrêter à la fin de la transformation hormonale mais ce n'est malheureusement pas toujours le cas.

Peau mixte

C'est une peau sèche, tirée et même un peu poudreuse sur les pommettes et le front, qui sécrète bien souvent du sébum en abondance aux ailes et au bout du nez, et sous la lèvre inférieure. Parfois, c'est la ligne front-nez-menton qui sécrète du sébum alors que le reste de la peau est sec.

Peau sèche
On dirait une peau collée aux os. Elle tire, se gerce, crevasse. De très fines rides apparaissent assez rapidement.

Peau sénescente
C'est une peau « fatiguée par le temps ».

Peau sensible
Ce type de peau réagit nerveusement aux changements extérieurs et intérieurs. Quelquefois elle se congestionne, s'empourpre ou démange sans raison.

Peau normale
C'est une peau sans problème, magnifique ! Cela ne veut pas dire qu'il ne faut pas s'en occuper, au contraire. C'est un capital beauté qu'il faut préserver.

6. UNE PEAU SAINE

La peau de votre visage reflète maints aspects de votre personnalité, de vos sentiments, de votre mode de vie, de votre capital génétique, de votre bien-être mental et physique. Plusieurs de ces facteurs peuvent entraîner une altération plus ou moins marquée de la peau du visage ou d'une autre partie de votre corps. Quelques conseils vous permettront de garder une peau tonique et un teint éclatant.

Une alimentation saine permettra à votre organisme de ne pas la surcharger en toxines. Le sucre, les graisses, les fromages gras, le sel en trop grande quantité, les pâtisseries, la viande rouge en excès, la charcuterie constituent autant d'apports hypercaloriques nuisibles à votre santé.

En revanche, la consommation de fruits, de légumes frais et de céréales sera un atout majeur pour le bon équilibre de votre organisme.

Il ne faut pas non plus tomber dans le piège des régimes draconiens prolongés trop longtemps qui peuvent entraîner l'apparition d'une peau sèche, de vergetures, de cheveux cassants et d'ongles mous par manque de vitamines, d'oligo-éléments et par un mauvais fonctionnement du métabolisme.

Un excès de tabac peut entraîner à la fois une dégradation métabolique interne des organismes, mais également un vieillissement prématuré de la peau du visage. La diminution ou l'arrêt du tabac vont favoriser le retour d'une peau normale.

L'alcool en trop grande quantité intoxique la fonction hépato-vésiculaire et entraîne une détérioration de la peau, très marquée surtout au niveau du visage : rougeur de la peau, faciès œdémateux, déshydratation du corps avec un vieillissement prématuré, apparition au niveau de la peau de microvaisseaux anormaux.

Une consommation modérée de vin (un verre à chaque repas), de préférence rouge, serait, selon les dernières enquêtes médicales, bénéfique à tout le système cardio-vasculaire.

Un bon sommeil permet un repos et une régénération plus active des cellules de la peau.

Un sommeil perturbé est souvent dû à une mauvaise hygiène de vie (thé et café en excès, repas trop tardifs avant le coucher), un stress intense, un environnement inadapté à l'individu (bruit, chaleur excessive, horaires de travail inadéquats)… Tous ces facteurs entraînent le matin au réveil cette fameuse « gueule de déterré » malsaine et mal considérée par autrui.

La pollution altère les cellules de l'épiderme à cause des particules polluantes d'un air vicié par les gaz d'échappement et les fumées d'usine. Pour les gens qui vivent à la campagne, le problème ne se pose guère. Les citadins, eux, doivent s'aérer un maximum le week-end et respirer un air moins pollué dans les forêts environnantes.

En outre, une bonne oxygénation avec un air pur et non vicié permet de meilleurs échanges respiratoires préliminaires. L'échange gazeux entre l'air et le sang se fait par l'intermédiaire de l'appareil respiratoire. Grâce à l'inspiration, l'oxygène nécessaire à la combustion des tissus passe par le sang. Avec l'expiration, le gaz carbonique, produit de déchet des combustions, est rejeté dans l'air extérieur. Une partie de l'oxygène étant utilisé par la peau, il faut lui permettre d'avoir un air le moins pollué possible de manière à ce qu'un minimum de gaz carbonique non rejeté intoxique les cellules.

Les rayons solaires peuvent accélérer le processus de vieillissement de la peau si l'exposition est trop longue et pratiquée au moment où le soleil est à son zénith.

Ils provoquent une pigmentation de la peau grâce à la mélanine. Un léger bronzage peut donc être bénéfique à la peau. Mais un séjour prolongé au soleil peut entraîner une insolation avec brûlure au 1er ou au 2e degré et induire des pathologies plus graves quelques années plus tard.

Il faut impérativement alterner les temps d'exposition (10 minutes) avec les pauses à l'ombre.

Le sport pratiqué de manière régulière améliore l'aspect de la peau. Il permet une activité cardio-vasculaire bénéfique pour les tissus, une élimination de tous les émonctoires, notamment par la transpiration qui va détoxiquer les tissus de l'organisme, et une forme physique interne qui va obligatoirement retentir au niveau externe.

Un stress intense entraîne des dégâts extérieurs au niveau de la peau. Les angoisses, les tensions, les inquiétudes, les anxiétés, les peurs, les chagrins, les soucis, les émotions perturbent le bon fonctionnement de l'organisme et peuvent altérer l'extérieur de l'organisme : contraction des maxillaires avec augmentation des rides, constipation, migraines, diarrhée avec intoxication interne, démangeaisons et irritations, mauvaise respiration avec des échanges gazeux perturbés…

La sécheresse atmosphérique dans certaines salles de travail, la climatisation, le chauffage central sont des causes fréquentes de déshydratation de la peau.
Les humidificateurs dans les pièces et les assiettes remplies d'eau sur les radiateurs sont des éléments indispensables à la perspiration.
Une hydratation journalière de l'organisme est obligatoire. L'absorption de 1,5 litre à 2 litres d'eau minérale ou d'eau du robinet filtrée permettra un bon fonctionnement des reins.

L'hygiène locale du visage devra être faite dans les conditions les plus naturelles possibles, et surtout avec des produits appropriés, non nocifs ni décapants. En effet, le dernier rempart contre le monde extérieur est la couche cornée de l'épiderme avec son film cutané de surface. Il s'agit d'une substance hydrolipidique légèrement alcaline, formée par les graisses du sébum et l'eau de la sueur, qui sont colonisées par un petit nombre de bactéries normales et qui défendent la peau contre les agressions microbiennes externes. Il faut donc assurer la protection de cette peau en la nettoyant avec des produits naturels de préférence.
Un bon nettoyant doit respecter cet équilibre, tout en débarrassant la peau d'une partie de son sébum, du maquillage, des impuretés et de ses cellules mortes sans obstruer les pores.
Les produits à pH neutre seront préférés aux autres.

DÉMAQUILLANTS

Râpez un demi-concombre dans 1/4 de litre de lait. Faites bouillir 5 minutes puis, une fois refroidi, filtrez et mettez en bouteille. Vous pouvez garder le mélange une semaine au réfrigérateur.

Une méthode plus simple consiste à se nettoyer le visage avec l'intérieur de la peau du concombre. Pour les yeux, utilisez l'huile d'amande douce.

Vous pouvez utiliser l'huile d'amande douce sur tout le visage si votre peau est très sèche, et éliminer l'excès de gras avec une infusion de camomille.

L'eau de rose est aussi un excellent démaquillant.

La farine de son humidifiée s'utilise comme une éponge démaquillante et présente aussi l'avantage d'aider à faire disparaître les points noirs.

Autre solution : prenez 1 cuillerée à dessert d'amandes pilées que vous mélangerez à un tout petit peu d'eau de rose pour que le produit ne soit pas trop liquide. Frottez délicatement votre visage. Rincez à l'eau de rose.

Si votre peau est normale, appliquez le mélange suivant composé à parts égales d'huile d'olive, d'huile de sésame, et d'huile d'amande douce (1 cuillerée à café de chaque) additionnées d'huile essentielle de lavande. Démaquillez-vous et rincez à l'eau de rose.

Si vous n'avez rien d'autre sous la main, le beurre frais est un excellent démaquillant !

LOTIONS

Après le démaquillage, lotionnez votre peau avec les mélanges suivants au choix.

Si vous souhaitez une action tonifiante, faites une infusion avec une poignée de verveine dans 1/2 litre d'eau de rose. Ajoutez à cette infusion 25 g d'eau distillée d'hamamélis. Vous pouvez aussi mélanger 1/2 verre d'eau de Cologne à 1/4 de verre d'eau de rose, 1/4 de verre de jus de concombre et 1 cuillerée à café de jus de citron.

Pour une lotion nettoyante, versez un litre d'alcool à 45 % dans trois blancs d'œufs battus en neige. Ajoutez le jus d'un demi-citron. Lotionnez votre visage pour le nettoyer de ses impuretés.

Et enfin pour une lotion adoucissante, mélangez 20 g d'huile d'olive avec 20 g d'huile de camomille camphrée, 20 g d'huile d'amande douce, 5 g de teinture de benjoin et 100 g de lanoline (la lanoline se trouve en tube chez les pharmaciens). Mettez dans un pot. Passez sur votre visage tous les soirs. Enlevez l'excédent avec un coton hydrophile.

NETTOYAGE
DE PEAU

Ma grand-mère préparait sa peau en faisant une fumigation de thym. Elle mettait une poignée de feuilles de thym dans un bol, y versait de l'eau bouillante et soumettait la peau de son visage aux effets de la vapeur en ayant pris soin de se mettre une serviette sur la tête.

Elle utilisait ensuite des poires pour se faire un nettoyage de peau. Elle choisissait les poires les plus granuleuses, les réduisait en purée et se frottait le visage en douceur avec des mouvements arrondis en insistant sur les ailes du nez et le menton. Elle rinçait ensuite soigneusement à l'eau fraîche. On retrouve aujourd'hui dans certains produits de nettoyage de peau les petites granules des poires de ma grand-mère.

———

Le thym *(Thymus vulgaris)*, plante de la famille des Labiées, est originaire du Bassin méditerranéen occidental.
Le thym a sur la peau des propriétés antiseptiques, puri-fiantes, régénérantes et rubéfiantes, grâce à son huile essentielle riche en thymol et en carvacrol, à ses flavo-noïdes et à ses phénols.

Le poirier, arbre de la famille des Rosacées, est très répandu en Europe et en Asie septentrionale.
C'est une espèce cultivée depuis plus de 4 000 ans.
L'activité exfoliante de **la poire** provient de sa haute teneur en acides organiques (acide ascorbique, acide citrique et acide malique) qui, par ailleurs, se révèlent être d'excellents antiseptiques.

FUMIGATIONS ET GOMMAGES

Un nettoyage de peau en profondeur la rend lisse et la débarrasse de ses impuretés. Pour le visage, les deux techniques les plus couramment employées sont les fumigations et les gommages.

La fumigation consiste à soumettre le visage à des vapeurs de plantes. Elle devrait être pratiquée au moins tous les 15 jours.

Le gommage est un nettoyage de peau avec des produits exfoliants, c'est-à-dire destinés à éliminer les cellules mortes superficielles. On peut procéder à un gommage une à deux fois par semaine, à condition que le produit soit adapté à la sensibilité de la peau.

Pour une fumigation astringente, mélangez 1 litre d'eau bouillante et 1 cuillerée à soupe de benjoin (contre l'acné et les points noirs).

Pour une fumigation adoucissante, mélangez 1 litre d'eau et des fleurs de tilleul ou de camomille (pour peau irritable).

Pour une fumigation décongestionnante, faites une infusion avec une poignée d'aiguilles de pin et une pomme de pin dans 1 litre d'eau.

Et pour une fumigation reposante, mettez 1 cuillerée à soupe d'alcool camphré dans 1 litre d'eau.

Les fumigations s'utilisent les plus chaudes possible avec une serviette sur la tête pour ne pas perdre les effets bénéfiques de la vapeur.

Vous pouvez aussi faire des gommages avec 4 cuillerées à soupe de sel fin et 2 cuillerées à soupe d'huile d'olive.

Appliquez et massez en tournant. Ou bien mélangez 3 cuillerées à soupe de flocons d'avoine avec un peu d'eau tiède pour constituer une pâte. Massez jusqu'au séchage.

Faites une décoction de 20 g de feuilles de grand plantain et 10 g de racine de patience. Laissez bouillir 5 minutes et reposer 2 minutes. Appliquez en compresses sur le visage pendant quelques minutes et votre visage sera vraiment débarrassé de ses dernières impuretés.
Le grand plantain est une des rares plantes à la fois astringente et émolliente.

Enfin, appliquez ce masque toutes peaux : mélangez 1 cuillerée à soupe de levure de bière à 1 cuillerée à soupe de yaourt, 1 cuillerée à café de jus de citron et 1 cuillerée à café d'huile d'olive. Malaxez bien. Appliquez pendant 15 minutes. La levure de bière stimule la circulation sanguine, le yaourt nettoie, l'huile hydrate et le citron est astringent. Si vous avez la peau très sèche, rajoutez de l'huile. Si vous avez la peau grasse, retirez l'huile et rajoutez du citron.

PEELING
NATUREL

Le terme « peeling » vient de l'anglais to peel, *peler. Il s'agit d'un procédé esthétique conçu pour faire desquamer la couche cornée de la peau du visage afin d'en atténuer les défauts. Les substances employées, dites kératolytiques, sont capables de dissoudre la protéine fibreuse appelée kératine de la couche cornée de l'épiderme.*

Utilisé dans certains traitements dermatologiques, le peeling est surtout pratiqué pour effacer les signes du vieillissement de la peau et procurer un effet de rajeunissement. Aujourd'hui, il se définit comme une « action contrôlée d'irritation de la surface de la peau par une substance chimique ou par un procédé physique ». Comme on le remarque, cette définition ne fait plus mention de destruction de certaines cellules de l'épiderme, car de nouvelles substances provoquent un effet de peeling sans aucune exfoliation visible.

Mélangez de l'avoine à 1/2 litre d'eau pure jusqu'à obtenir une bouillie épaisse. Étalez sur le visage et le cou et faites de petits massages circulaires pendant un bon quart d'heure. Rincez à l'eau fraîche ou avec votre lotion préférée. Ce « peeling » convient à toutes les peaux.

Ou bien faites infuser 1 cuillerée à café de thym et 1 cuillerée à café de lavande, frais ou séchés, dans une grande tasse d'eau bouillante pendant 10 minutes. Diluez 2 cuillerées à soupe de rassoul ou d'argile verte dans cette infusion. Ajoutez 1 cuillerée à soupe de lait et 5 gouttes d'huile essentielle de lavande. Laissez reposer. Appliquez la pâte sur le visage et le cou pendant 10 minutes. Rincez à l'eau fraîche, puis à l'eau de rose ou d'hamamélis.

Faites ce masque deux fois par mois. Votre peau sera lisse, fine, douce et débarrassée de ses impuretés.

L'avoine *(Avena sativa)*, plante de la famille des Graminées, est originaire d'Asie Mineure et d'Asie centrale. Cette céréale universellement connue est de plus en plus utilisée en cosmétique grâce à ses propriétés adoucissantes, reminéralisantes, restructurantes et émollientes, dues à ses enzymes, ses matières minérales, ses acides organiques et ses phénols.

Le thym *(Thymus vulgaris)*, plante de la famille des Labiées, originaire du Bassin méditerranéen occidental, se rencontre dans tout le midi de la France, en Italie, en Espagne, au Portugal, en Grèce et en Californie.

Les sommités fleuries de cette plante renferment certains principes actifs qui ont sur la peau des propriétés astringentes, antiseptiques et rubéfiantes : ce sont les flavonoïdes, l'huile essentielle, le thymol et le carvacrol.

La lavande vraie *(Lavandula vera)*, plante de la famille des Labiées, est un sous-arbrisseau qui pousse sur les coteaux du midi de la France, en particulier dans le massif du Ventoux.

Son huile essentielle à base de linalol, ses acides phénoliques et ses flavonoïdes lui confèrent des propriétés adoucissantes, antiseptiques et régénérantes.

Le rassoul ou ghassoul est un minéral que l'on trouve dans les montagnes de l'Atlas au Maroc. Utilisé depuis toujours sous forme de pâte minérale, il a une action purifiante. On peut se le procurer en pharmacie ou dans les magasins diététiques.

L'argile est une roche terreuse formée de silice et d'alumine, provenant surtout de la décomposition des feldspaths.
L'alumine permet de resserrer les tissus. La silice possède un pouvoir absorbant vis-à-vis de l'humidité de certaines substances actives, facilite la fluidité de mélanges de produits et sert d'agent épaississant pour la préparation.

MASQUE AU MIEL ET À L'ŒUF

Battez énergiquement ensemble un blanc d'œuf, 1 cuillerée à soupe de miel liquide et 1/2 cuillerée à soupe de jus de citron extrait d'un citron de provenance biologique si possible.
Appliquez ensuite sur le visage et posez une compresse fine. Gardez ce masque une vingtaine de minutes. Rincez à l'eau fraîche. Votre teint sera éclairci, votre peau retendue et adoucie et vos ridules atténuées.

Le blanc d'œuf est un apport nutritif capital pour la peau grâce à sa composition en albumine et en vitamines (A, B1, B2, B6, D et E). Composé uniquement de protéines, il possède également un rôle de lubrification de la peau.

Le jus de **citron** tonifie la peau grâce à ses composés (flavonoïdes et facteurs vitaminiques P) qui agissent sur sa microcirculation en la régulant.
Il possède également sur la peau une activité exfoliante, régénérante et astringente grâce à sa teneur en acides hydroxylés.

Le miel relâche les tissus enflammés et les ramollit, grâce à sa composition en acide formique. Il stimule la croissance des tissus et la division cellulaire.

MASQUE AU MELON

Il est conseillé de faire ce masque en été car les melons mûrissent alors de manière naturelle. Broyez la chair d'un melon avec ses graines et ajoutez 2 cuillerées à soupe d'huile de tournesol. Appliquez sur votre visage pendant 15 à 20 minutes. Séchez délicatement à l'aide d'un linge fin sans frotter. Tous vos amis vous complimenteront sur votre bonne mine.

Le melon *(Cucumis melo)*, plante de la famille des Cucurbitacées, semble être originaire de deux régions distinctes du globe, l'Inde et la côte occidentale d'Afrique. Cultivé par les Romains, on le retrouve vers la fin du Moyen Âge et surtout à la Renaissance. Le poète Ronsard le cultivait dans son jardin de Saint-Cosme-lez-Tours.
La chair du melon, riche en glucides, en vitamines A, B et C, en minéraux et en flavonoïdes, favorise la restructuration des tissus et l'assouplissement des peaux sèches. Elle agit aussi comme anti-inflammatoire sur les peaux irritées et enflammées.

L'huile de tournesol contient un pourcentage élevé d'acide linoléique (55 %) et de vitamines qui ont sur la peau un rôle d'anti-oxydant cellulaire et de régénération.

MASQUE NOURRISSANT

Pour préparer votre masque, commencez par mélanger 1 cuillerée à soupe d'argile blanche et le jus d'un demi-citron jusqu'à obtention d'une pâte bien homogène. Ajoutez ensuite un jaune d'œuf, 1 cuillerée à café d'huile d'amande douce et 1 cuillerée à café de miel liquide. Émulsionnez le tout afin d'obtenir un mélange parfaitement lisse.

Appliquez ce masque sur votre visage et gardez-le environ 15 minutes. Rincez à l'aide d'éponges à démaquiller trempées dans de l'eau de source tiède.

L'usage thérapeutique de **l'argile** remonte à la plus haute antiquité. Elle est en effet mentionnée sur une table sumérienne datant de 2 000 ans avant notre ère. Autour de 1550 avant J.-C., le fameux papyrus d'Ebers rapporte lui aussi les vertus de ce produit à la fois antiseptique, astringent et cicatrisant pour la peau. Sur les bords du Nil, les bancs de boues argileuses étaient salutaires pour l'épiderme et les dames égyptiennes se confectionnaient des masques purifiants pour embellir la peau de leur visage.

Différentes argiles sont employées à des fins cosmétiques : l'argile blanche de Bretagne, l'argile verte de Provence dite encore la « montmorillonite » (car extraite de la mine de Mormoiron dans le Vaucluse), l'argile d'Allemagne ou « Ludos », employée avec succès outre-Rhin, la « kaolinite » qui tire son nom de la région de Chine où elle fut découverte, Kao-Ling, ou encore l'« illite », argile verte commune dans le nord de la France et le Bassin parisien.

Chacune d'entre elles possède des propriétés physico-chimiques spécifiques qui leur confèrent des vertus en cosmétique, telles qu'éliminer les impuretés de la peau, la reminéraliser et la nourrir en oligo-éléments (silice, fer, alumine, manganèse, chaux, magnésium, potassium, sodium, nitrates et phosphates).

Le citron a des vertus tonifiantes et régénérantes grâce à sa composition en acides hydroxylés.

Le principal constituant du **jaune d'œuf** est la lécithine qui nourrit les cellules de la peau grâce à sa composition en acide glycéro-phosphorique uni à un acide gras et à une base.

Les propriétés nourrissantes de **l'huile d'amande douce** résultent des tanins, des lipides et des vitamines qui la composent, et notamment les vitamines A, B1, B2, B3, B5 et B6.

Le miel a un effet tonifiant, nourrissant et fortifiant sur la peau grâce à sa composition spécifique en acide formique, en glucose et en lévulose.

MASQUE
BONNE MINE

Faites ce masque en été : mixez des abricots frais pour obtenir une purée et étalez-la sur votre visage. Gardez 15 minutes. Rincez à l'eau tiède.

Même au cœur de l'hiver, vous pouvez profiter des bienfaits de l'abricot. Achetez des abricots secs et faites-les tremper 20 à 30 minutes dans un bol d'eau bouillante, puis égouttez-les et procédez exactement comme avec des abricots frais.

L'abricotier, arbre de la famille des Rosacées, possède un fruit de grande valeur vitaminique. Sa découverte date du IIIe millénaire avant notre ère. Les empereurs de Chine le vénéraient pour ses vertus notamment énergétiques. Les Romains en répandirent la culture.

Dans la pratique populaire, **l'abricot** est utilisé comme reconstituant, nourrissant et adoucissant de la peau du visage.

Il contient de nombreuses vitamines (A, B1, B2, B, C, et E) et beaucoup d'oligo-éléments : magnésium, phosphore, soufre, manganèse, fluor, cobalt et brome.

La vitamine A joue un rôle important dans la formation et la régénération des tissus.

La vitamine B3 possède une action vaso-dilatatrice sur les capillaires sanguins.

La vitamine E est anti-oxydante et permet une action tonifiante sur la peau.

Quant aux oligo-éléments, ils restructurent la tonicité des tissus.

MASSAGE
À L'ŒUF

Faites cuire un œuf dur. Enlevez la coquille délicatement, enveloppez l'œuf encore chaud dans une mousseline (ou une gaze) et tenez-le par les extrémités.

Massez votre visage en commençant par le front : roulez l'œuf d'une extrémité à l'autre du front, puis sur les paupières supérieures, les paupières inférieures, les pattes d'oie, le pli des sourcils (entre les yeux). Faites ainsi tout le visage en insistant sur les parties les plus ridées. N'oubliez pas le dessous du menton et le cou.

Nettoyez à l'eau de rose et recommencez tous les 15 jours. Ne mangez pas l'œuf !

Grâce aux propriétés de l'albumine, **l'œuf** chaud absorbe toutes les toxines de votre visage. Il agit comme un aspirateur, élimine les points noirs et les impuretés. Tous ces « indésirables » traversent la mousseline et s'imprègnent dans le blanc.

COMPRESSE REPOSANTE

Si le temps vous manque avant de sortir le soir et que vous vous sentez crispée, allongez-vous quelques minutes et posez sur votre visage des compresses mouillées d'eau de rose additionnée de 1 % d'alcool camphré. Votre visage se détendra rapidement. Lotionnez-vous avant de vous maquiller.

L'eau de rose est préparée à partir d'une distillation de pétales de rose de France, ou rose de Provins, ou rose rouge officinale (*Rosa gallica*). Cette rose croît spontanément dans toute l'Europe, ainsi qu'en Asie occidentale sur des terrains calcaires. Vénérée depuis la plus haute antiquité, elle tient une place importante dans la médecine arabe qui lui attribue des vertus quasi miraculeuses. L'eau de rose servait au XVIe siècle à la préparation d'un collyre. Elle possède les propriétés suivantes : anti-inflammatoires grâce à ses dérivés flavoniques, astringentes grâce à ses tanins, adoucissantes grâce à ses dérivés phénoliques et à son huile essentielle (géraniol, citronellol et linalol).

L'alcool camphré, solution de 90 % d'alcool et de 10 % de camphre (substance aromatique provenant du camphrier du Japon), a des propriétés résolutives, permettant de faire disparaître l'inflammation et de diminuer l'engorgement.

HUILE ANTI-VIEILLISSEMENT

Faites macérer pendant 8 jours 1 cuillerée à soupe de cerfeuil frais haché dans un verre d'huile d'amande douce. Filtrez. Ajoutez 10 gouttes d'huile essentielle de géranium et autant d'huile essentielle d'orange. Huilez votre visage, massez et faites pénétrer. Utilisez de préférence le soir, de manière à dormir avec l'huile. Faites des cures d'une semaine par mois.

Le cerfeuil *(Anthriscus cerefolium)*, plante de la famille des Ombellifères, vit à l'état sauvage dans le sud-est de l'Europe, le Caucase et les montagnes de l'Asie occidentale. À l'époque romaine, il était déjà apprécié pour certaines de ses vertus médicinales, et le Moyen Âge confirma ses propriétés.
Le cerfeuil renferme un taux important de vitamine C. Il possède des propriétés adoucissantes, régénérantes et tonifiantes grâce à ses acides organiques et ses flavonoïdes.

L'huile d'amande douce est régénérante grâce à sa teneur importante en alcools terpéniques et en flavonoïdes.

L'huile essentielle de géranium est dotée de propriétés adoucissantes, régénérantes et astringentes grâce à ses acides organiques, ses tanins et sa substance amère, la géraniine.

L'huile essentielle d'orange possède une activité tonifiante, reminéralisante et adoucissante grâce à sa composition en acides organiques, en composés phénoliques et en vitamines (A, B1, B2, B3, B5, B6 et PP).

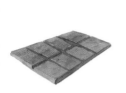

COUP D'ÉCLAT
AU CHOCOLAT

Ma grand-mère connaissait bien les vertus antistress du chocolat. Mais elle le mangeait et elle était loin d'imaginer pouvoir s'en enduire !

Prenez cinq à six carrés de chocolat noir à 80 % de cacao et faites-les fondre dans une cassolette. Pendant ce temps, préparez votre visage en le nettoyant du mieux possible avec des produits naturels tout en le massant pendant 15 à 20 minutes sous un flot continu de vapeurs chaudes.

Le chocolat fondu, ajoutez dans la cassolette, hors du feu, quelques gouttes d'huile essentielle de fleur d'oranger.

Une fois cette préparation tiède, étalez-la sur votre visage, soit avec vos mains, soit en vous aidant d'un pinceau. Laissez agir environ 5 minutes, puis nettoyez-vous avec de l'eau. Même si vous êtes gourmande, ne mangez pas cette mixture car vous pourriez avoir une indigestion.

Le chocolat est une pâte solidifiée faite avec des fèves de cacao torréfiées et broyées, du sucre, de la vanille ou d'autres aromates. Les fèves de cacao sont les graines du cacaoyer *(Theobrama cacao)*, arbuste tropical de la famille des Sterculiacées.

C'est à l'Amérique précolombienne et au Mexique que l'on doit l'invention du chocolat. Importé en Europe par les Espagnols, vers le milieu du XVIe siècle, sous forme de pains et de tablettes, le chocolat était considéré alors autant comme un remède que comme un aliment.

Le chocolat contient des glucides, des protides, des lipides (acides gras), des matières minérales dont le magnésium, des flavonoïdes et des vitamines (A et D). La fraction de ses acides gras permet d'assouplir la peau et de la tonifier. Les vitamines A (rétinol) et D (calciférol) lui confèrent des propriétés anti-oxydantes, émollientes, lubrifiantes, hydratantes et adoucissantes. Le coup d'éclat est donc assuré.

L'huile essentielle de **fleur d'oranger** possède sur la peau des propriétés adoucissantes, régénérantes et tonifiantes. Cela est dû principalement à ses flavonoïdes, ses résines et ses terpénoïdes.

PEAU SOYEUSE

Mélangez un jaune d'œuf à 1 cuillerée de miel et 10 gouttes d'huile d'olive. Appliquez sur le visage nettoyé et gardez 15 minutes. Rincez avec des compresses d'eau fraîche. Ce masque est très nourrissant et rend la peau soyeuse.

Un peu chère, mais vraiment efficace, l'huile de noyau d'abricot appliquée pure en massage défatiguera en plus très rapidement votre visage.

Écrasez une pomme cuite, mélangez à 1 cuillerée à soupe d'huile de noix et appliquez sur votre visage. Gardez une quinzaine de minutes. Votre peau sera toute soyeuse et nettement retendue.

Si le temps vous manque, pressez deux oranges (buvez-en le jus), gardez la pulpe et mélangez-la à 1 cuillerée à soupe de miel ou de crème fraîche. Appliquez pendant 10 minutes et rincez à l'eau tiède.

Ester complexe de l'acide phosphorique et de la glycérine, **le jaune d'œuf** contient de la lécithine qui stimule la nutrition des cellules de la peau du visage.

Employé comme antiseptique depuis des siècles, **le miel** est un fortifiant de la peau, un excellent hydratant et, mélangé au jaune d'œuf, il agit comme masque revitalisant.

Les acides gras dits polyinsaturés qui composent **l'huile d'olive** (acide linoléique et acide oléique) jouent un rôle tonifiant, nourrissant et restructurant au niveau des cellules de la peau du visage.
Leur action adoucissante rend la peau soyeuse.

Dans la pratique populaire, **l'huile de noyau d'abricot** a toujours été utilisée en masque de beauté pour ses vertus reconstituantes, nourrissantes et surtout adoucissantes. Ces effets sont dus aux 35 % d'acides linoléiques contenus dans cette huile.

Très riche en acides organiques, en tanins et en vitamines, la pulpe de **la pomme** a des propriétés adoucissantes et astringentes pour la peau du visage.

L'huile de noix contient 50 % d'acide linoléique et 6 % d'acide alpha-linolénique. Cette composition entraîne sur la peau un effet adoucissant et antivieillissement.

Grâce à ses acides organiques, ses phénols et son huile essentielle, la pulpe d'**orange** présente sur la peau une activité régénérante et adoucissante.

PEAU DOUCE

Faites un masque en battant un jaune d'œuf, une noisette de levure de bière fraîche et quelques gouttes d'huile d'amande douce. Laissez-le agir une vingtaine de minutes en vous reposant ou en lisant tranquillement. Ôtez-le avec une lotion tonique (voir tonus du teint). Vous aurez une peau magnifique.

Pour avoir la peau encore plus douce, passez l'intérieur de l'écorce d'une mangue sur votre visage et vos mains. Laissez sécher et rincez à l'eau tiède.

Le principal constituant du **jaune d'œuf** est la lécithine, ester complexe de l'acide phosphorique et de la glycérine. La propriété essentielle de cette lécithine est de stimuler la nutrition des cellules de la peau du visage, et d'hydrater la peau.

Les levures sont des champignons microscopiques qui se multiplient habituellement par bourgeonnement.
La levure de bière peut s'utiliser en thérapeutique soit sous forme de levure fraîche, soit sous forme de levure desséchée. Présentée sous forme de poudre jaunâtre de couleur chamois, d'odeur aromatique et de saveur légèrement amère, elle contient des vitamines du groupe B (B2, B3, B6, B7 et B12), un glutathion, des matières azotées, un peu de lécithine et des stérols.
Son utilisation pour la peau est à visée vitaminique.

L'huile d'amande douce possède des propriétés adoucissantes et nourrissantes grâce à sa composition en tanins, en lipides et en vitamines (A, B1, B2, B3, B5 et B6).

Le manguier ou abricotier de saint Dominique est un arbre des régions tropicales qui fait partie de la famille des Anacardiacées. L'Indonésie le cultive de manière très intensive (2 millions d'arbres à Java). Son fruit sucré et comestible, **la mangue**, à la saveur de térébenthine, est parfois nommé la « pomme des tropiques ».

L'intérieur de l'écorce de ce fruit possède des propriétés astringentes très efficaces grâce à sa composition en tanins (15 à 18 %).

PEAU SOUPLE

Faites macérer pendant 8 jours au soleil, dans un flacon bien bouché, 100 g de fleurs de millepertuis et 10 cl d'huile d'amande douce. Après votre toilette, le soir, passez cette huile sur votre visage avec un coton. Gardez-la 5 minutes et essuyez délicatement sans frotter.

Pour les peaux grasses, pratiquez de la même façon avec le mélange suivant : 300 g de fleurs de millepertuis, 10 cl d'huile d'olive et 50 cl d'eau-de-vie blanche.

Toujours pour les peaux grasses, vous pouvez aussi faire un masque à la pêche avec deux pêches mûres, un jaune d'œuf et 1 cuillerée à soupe d'huile d'amande douce. Laissez appliquer 1/4 d'heure et rincez.

Le millepertuis (*Hypericum perforatum*), plante de la famille des Hypericacées, est un arbrisseau commun dans les haies, les bords de chemins de presque toute l'Europe, d'Asie occidentale et septentrionale, d'Afrique et d'Amérique du Nord.

Son nom latin *perforatum* lui vient de cette multitude de petits trous qui semblent cribler les feuilles et correspondent à de minuscules poches renfermant des huiles essentielles.

Au Moyen Âge, cette plante était réputée être une herbe magique, une panacée thérapeutique et un remède universel à tous les accidents externes (coupures, ulcères, luxations, lumbagos…). Par son huile essentielle et son tanin, le millepertuis est astringent, adoucissant et antiseptique.

L'huile d'amande douce est réputée pour sa propriété d'adoucir et d'assouplir grâce à sa haute teneur en acides gras.

L'huile d'olive assouplit et nourrit la peau grâce à sa forte teneur en acide oléique (80 %).

Le pêcher *(Prunus persica)*, arbre de la famille des Rosacées, est cultivé un peu partout dans le monde. Pour les Chinois qui lui vouent un véritable culte, son fruit apporte « mille printemps ».

La pêche est riche en hydrate de carbone, en oligo-éléments et en vitamines (A, B et C). Il est souhaitable de prévoir ces masques à la pêche entre mi-juillet et mi-août, période de maturation naturelle du fruit.

PEAU FRAÎCHE ET VELOUTÉE

Ma grand-mère faisait macérer pendant une semaine une petite botte de feuilles de basilic (30 g environ) dans 1/2 litre d'huile d'olive. Elle filtrait cette préparation puis l'utilisait matin et soir comme lotion pour son visage. Les câlins étaient très doux.

Le basilic *(Ocimum basilicum)*, plante de la famille des Liliacées, est originaire de l'Inde. Comme il craint le gel et aime la chaleur, il ne survit en Europe qu'au sud des Alpes. On le trouvait dans les tombeaux des rois égyptiens et dans les jardins des empereurs romains. Dans l'Antiquité, il était considéré comme une plante aux pouvoirs magiques.
Les feuilles de basilic sont connues pour leurs propriétés adoucissantes, hydratantes et tonifiantes dues à leur huile essentielle constituée d'estragol, de saponines, de tanins et de flavonoïdes.

TEINT CLAIR

Mélangez 1 cuillerée à soupe de crème fraîche et 1 cuillerée à soupe de citron. Frictionnez-vous délicatement et longuement la peau du visage, vous aurez un excellent résultat.

Prenez une quantité égale de jus de citron et de blancs d'œufs. Battez-les ensemble et mettez le mélange à feu doux en remuant avec une cuillère en bois jusqu'à obtenir une consistance de beurre.
Gardez au frais et frottez votre visage avec cette préparation tous les soirs après votre toilette (j'insiste sur l'utilisation de ce mélange sur un visage propre). Vous retrouverez bientôt un joli teint clair.

Si, en plus d'éclaircir votre teint, vous voulez faire disparaître rougeurs, petits boutons et combattre les rides, préparez une purée de carottes râpées crues avec leur peau (lavez-les soigneusement avant) arrosées d'un jus de citron. Posez le masque sur votre visage, gardez-le 1/2 heure et vous aurez un beau teint clair, lisse et propre.

Pour éclaircir une peau terne et fatiguée, chauffez 1 cuillerée à soupe de miel au bain-marie. Laissez tiédir. Appliquez du bout des doigts en massant fermement. Rincez.

N'oubliez pas de cultiver votre beau teint clair en buvant un jus de citron dans un grand verre d'eau tous les matins à jeun. Buvez aussi des bouillons de céleri, des jus d'orange et de pamplemousse. Mangez du chou cru, du cresson, des asperges, des artichauts, des concombres, de la laitue, des radis et des salsifis.

Le citron est exfoliant car il enlève les cellules mortes de la peau grâce à sa teneur en acides hydroxylés. Riche en vitamines A, B et C et en flavonoïdes, le jus de citron possède des propriétés détergentes, purifiantes et dépigmentantes.

La crème fraîche se compose de matières grasses (beurre), de caséine, de lactalbumine, de lactose (sucre) et d'eau. Son action émolliente permet d'activer la pénétration du citron dans les pores de la peau.

Le blanc d'œuf est composé principalement d'albumine, protéine hydrosoluble qui agit sur les cellules de la peau du visage en éclaircissant le teint.

Cultivée dans toute l'Europe, en Amérique du Nord et en Asie centrale, **la carotte** *(Daucus carrota)* fait partie de la famille des Ombellifères. C'est l'une des plantes sauvages les plus répandues de l'Ancien Monde.
Elle doit sa couleur rouge à une haute teneur en carotène que l'organisme transforme en vitamine A. Elle renferme de nombreux oligo-éléments, ainsi que des vitamines (B1, B2, B5, B6, PP, D et E).
Outre ses vertus rajeunissantes et anti-oxydantes, elle atténue les taches cutanées et éclaircit le teint.

TEINT ÉCLATANT

Le matin à jeun, buvez un verre de jus de carottes et appliquez la valeur de 1 cuillerée à soupe de jus de carottes sur votre visage. Gardez pendant 20 minutes avant de rincer à l'eau fraîche ou à l'eau de rose. Ma grand-mère me disait souvent lorsque j'étais petite : « Mange tes carottes, ça donne les fesses roses et le teint frais ! »

───

La carotte *(Daucus carrota)*, plante de la famille des Ombellifères, pousse spontanément en Europe et en Asie centrale, dans les prés rocailleux et les sols bien drainés à basse altitude.

Ses qualités thérapeutiques (antiasthénique, résistance du corps contre les infections, atonie digestive, croissance, antianémique, régularisation des fonctions intestinales – diarrhée et constipation) en font l'une des denrées alimentaires les plus précieuses pour l'homme.

Son principe actif majeur en est le bêta-carotène (provitamine A), car il se transforme en vitamine A dans le foie après oxygénation. La vitamine A protège les cellules de la peau en la rajeunissant et possède des propriétés antioxydantes, tonifiantes et pigmentantes.

VISAGE TONIFIÉ

Évidez un demi-citron et mettez dedans un jaune d'œuf. Laissez reposer une nuit. Étalez sur votre visage propre une serviette chaude (sèche ou humide) pour dilater les pores (1 ou 2 minutes). Appliquez en masque le jaune imprégné de l'essence de citron sur le visage en évitant le contour des yeux. Détendez-vous 20 minutes puis rincez à l'eau tiède. Séchez soigneusement. Votre visage aura retrouvé tout son tonus.

Vous pouvez aussi faire des infusions de verveine odorante : mettez 20 g de feuilles de verveine dans 1 litre d'eau bouillante, laissez infuser 10 minutes. Passez et laissez reposer. Mettez en bouteille. Utilisé en lotion matin et soir, c'est un excellent tonifiant des tissus qui redonnera de l'éclat et du tonus à votre visage fatigué et terne.

L'essence de citron possède sur la peau des propriétés astringentes, purifiantes, tonifiantes et régénérantes grâce à sa composition en acides hydroxylés.

Le jaune d'œuf contient de la lécithine qui stimule la nutrition des cellules du visage.

La verveine odorante *(Lippia citriodora)*, plante de la famille des Verbénacées, est originaire d'Amérique du Sud. Introduite en Europe vers la fin du XVIIe siècle, elle est aujourd'hui largement cultivée au Maroc, en Tunisie, en Espagne, en Italie et en Inde.
Ses feuilles contiennent une huile essentielle qui possède des propriétés tonifiantes, purifiantes et rafraîchissantes.

PEAU DÉLICATE

Faites infuser 50 g de fleurs d'acacia dans 1/2 litre d'eau douce, laissez reposer pendant 10 minutes, passez, mettez en bouteille et conservez au frais. Attendez 24 heures avant de l'utiliser comme une lotion.

À l'aide d'un coton à démaquiller, étalez délicatement cette lotion sur votre visage.

Vous pouvez le faire matin et soir jusqu'à ce que votre peau devienne moins fragilisée.

Le robinier ou **faux acacia** *(Robinia pseudoacacia)*, plante de la famille des Légumineuses, est un arbre épineux originaire d'Amérique du Nord. En 1601, le jardinier du roi de France reçut d'Amérique du Nord une graine qu'il planta place Dauphine à Paris. Quelques années plus tard, l'arbre issu de cette graine fut transplanté au Jardin des plantes de Paris. Il est toujours possible de le voir en cet endroit. Le faux acacia est aujourd'hui une essence répandue dans toute l'Europe et dans de nombreuses contrées à climat tempéré.

Les propriétés émollientes, adoucissantes et tonifiantes de la fleur d'acacia résultent de sa composition riche en huile essentielle, tanin et flavonoïdes (robinoside).

PEAU GRASSE

Une peau grasse est une peau dont les glandes sébacées sont hyperactives. Elles produisent trop de sébum et en sécrètent constamment, ce qui donne au visage un aspect gras et luisant et dilate les pores. De plus, cette peau retient poussières et impuretés qui obstruent les pores : c'est alors qu'apparaissent les points noirs. Son désavantage est donc d'être un peu épaisse, de luire facilement et d'avoir un grain important. Son avantage est d'être plus confortable à vivre et de se rider moins vite. L'écueil dans lequel tombent facilement les femmes est de vouloir la « dégraisser ». Souvent, cela produit le contraire : la séborrhée peut s'aggraver par réaction.

Ma grand-mère connaissait les bienfaits du concombre et il n'était pas rare de la voir allongée à l'heure de la sieste dans sa chaise longue sous le tilleul avec des rondelles de concombre sur le visage. Elle restait ainsi une vingtaine de minutes avant de se rincer à l'eau claire.

Une autre méthode consiste dans la préparation du masque suivant : écrasez un avocat avec un citron ou une feuille de chou dans un demi-verre d'huile d'olive. Appliquez en masque (en alternance un jour le citron, un jour le chou). Massez quelques minutes et rincez soigneusement à l'eau fraîche.

Vous pouvez enfin faire des gommages au miel (liquide ou solide). Étalez le miel de votre choix et massez doucement un moment. Rincez à l'eau de rose, de fleur d'oranger ou d'hamamélis.

Le concombre *(Cucumis sativus)*, plante de la famille des Cucurbitacées, est cultivé dans de nombreuses régions tempérées. L'ancêtre de ce légume serait un concombre sauvage recueilli au pied de l'Himalaya, dont la culture était déjà pratiquée en Inde et en Égypte il y a au moins 4 000 ans. Son principe actif majeur, l'élatérine, possède une action adoucissante, hydratante et purifiante. Il resserre donc les pores de la peau, la décongestionne et la tonifie.

L'avocatier *(Persea gratissima)*, arbre de la famille des Lauracées, est originaire d'Amérique centrale. Il est cultivé dans les régions tropicales. La première description en est faite par l'Espagnol Enciso en 1519.
La pulpe de son fruit, **l'avocat**, est très riche en lipides, en vitamines (A et B) et en acides aminés, d'où ses propriétés astringentes excellentes pour les peaux grasses.

Le citronnier *(Citrus limonum)* est un petit arbuste de la famille des Rutacées, cultivé dans toutes les régions méditerranéennes.
Le jus de son fruit est réputé agir sur la microcirculation grâce à ses facteurs vitaminiques P ; l'aspect de peau grasse s'atténuera de manière progressive. Quant à sa propriété détergente, elle est due à ses acides hydroxylés.

Le chou *(Brassica deracea)*, plante de la famille des Crucifères, était déjà apprécié des Romains pour ses vertus médicinales.
Il doit ses propriétés anti-inflammatoires à son essence sulfurée.

Le miel est reconnu depuis des siècles pour ses propriétés thérapeutiques : antiseptique par son acide formique, il est considéré aussi comme un excellent émollient.

PEAU SÈCHE

Pour assouplir votre peau, écrasez une banane, ajoutez quelques gouttes d'huile d'amande douce et appliquez en masque pendant 20 à 30 minutes. Rincez à l'eau tiède ou au lait.

Puis pour bien la nourrir, écrasez un avocat bien mûr, ajoutez quelques gouttes d'huile d'amande douce, le jus d'un demi-citron et 2 cuillerées à soupe de miel d'acacia. Laissez agir pendant 20 minutes. Rincez à l'eau de rose.

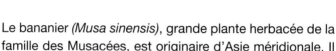

Le bananier *(Musa sinensis)*, grande plante herbacée de la famille des Musacées, est originaire d'Asie méridionale. Il est cultivé aux Antilles, aux Philippines, sur le littoral de l'Amérique centrale, de l'Afrique et de l'Asie tropicale.
Son fruit, **la banane**, contient 60 % de glucides, des sels minéraux, ainsi que de nombreuses vitamines (A, B, C et E). Sa richesse en oligo-éléments et en vitamines confère à ce fruit des propriétés régénérantes, adoucissantes et purifiantes.

L'huile d'amande douce contient de nombreux principes actifs dont les plus efficaces, pour une peau sèche, sont les alcools terpéniques et les flavonoïdes. Ils ont sur la peau une action régénérante, adoucissante, émolliente, nourrissante et surtout hydratante.

L'avocatier *(Persea gratissima)*, arbre de la famille des Lauracées originaire d'Amérique centrale, est cultivé au Mexique, aux Antilles, en Californie et en Floride. Avant l'arrivée des conquistadors espagnols, les Amérindiens et les Aztèques employaient ses fruits dans leur alimentation et en cosmétique. Riche en vitamines (A et D), en acides gras et en phénols, **l'avocat** a des propriétés adoucissantes, régénérantes et surtout hydratantes.

POINTS NOIRS

Pressez une orange, trois citrons et un concombre (pour le concombre utilisez de préférence une centrifugeuse, sinon laissez-le dégorger un peu avant et écrasez-le pour en obtenir le maximum de jus). Mélangez à 3 cuillerées à dessert d'eau de rose et 3 cl d'alcool à 70°. Vous obtiendrez une lotion efficace contre les points noirs et qui de plus vous mettra le rose aux joues !

Vous pouvez aussi faire des frictions au savon noir, une méthode très utilisée dans les hammams.

Pour extraire plus facilement vos points noirs, faites des fumigations avec une poignée de romarin et quelques gouttes d'essence de lavande pour un bol d'eau. Faites votre fumigation pendant 15 minutes avec une serviette sur la tête, pendant que l'eau est encore bien chaude. Après la fumigation, les pores sont dilatés et les points noirs plus faciles à enlever. Opérez avec un mouchoir propre, sans insister sur ceux qui ne sortent pas. Lotionnez ensuite avec un coton imbibé d'hamamélis.

L'oranger doux *(Citrus sinensis)*, arbre de la famille des Rutacées, possède des fruits gorgés de vitamines, de sucres, d'acides organiques, d'acides aminés, de pectine et de sels minéraux.
La pulpe de **l'orange** possède de hautes vertus exfoliantes permettant d'atténuer les points noirs.

Le citronnier *(Citrus limonum)*, arbre de la famille des Rutacées, possède un fruit à très riche composition en acides citriques et maliques, en glucides, en mucilages, en sels minéraux, en oligo-éléments et en vitamine C.

Son action détergente, exfoliante et dépigmentante provient de sa richesse en acides hydroxylés.

Le concombre (*Cucumis sativus*), plante de la famille des Cucurbitacées, renferme, outre ses 95 % d'eau, des vitamines (A et C), une proportion notable en fer, du manganèse, de l'iode et des traces de thiamine.
Ses vertus purifiantes et exfoliantes proviennent de sa richesse en enzymes et en acides organiques.

Le savon serait le produit d'hygiène le plus ancien et le plus utilisé dans le monde. Sa fabrication remonterait au IIIe siècle avant J.-C.
Le savon noir est un savon potassique de couleur brun-jaune, translucide, mou et visqueux. Il s'emploie dans les cas de peau à points noirs comme décapant et surtout comme kératolytique : il est capable en effet de dissoudre la kératine de la peau, cette substance faite de protéine fibreuse abondante dans la couche cornée de l'épiderme.

Le romarin (*Rosmarinus officinalis*), plante de la famille des Labiées, tient ses lettres de noblesse de la reine Isabelle de Hongrie qui, au XVIIe siècle, retrouva sa santé grâce à cette « herbe aux couronnes ».
Sa propriété de dilater plus facilement que d'autres plantes les pores de la peau lui vient de son acide romarinique. La présence de saponines lui confère des vertus détergentes.

La lavande vraie (*Lavandula vera*), arbrisseau de la famille des Labiées, est une des plantes les plus familières et les plus émouvantes de notre flore méditerranéenne. Dotée d'une vitalité hors du commun, elle croît en sol calcaire sec sur les coteaux arides du Midi. L'huile essentielle de lavande est reconnue comme purifiante.

PORES DILATÉS

La dilatation d'un pore est l'élargissement plus ou moins grand de l'orifice externe du follicule pilo-sébacé, et non pas de l'orifice des glandes sudoripares.

Écrasez des feuilles de bourrache au rouleau à pâtisserie. Posez-les sur votre visage et laissez agir 20 minutes. Rincez ensuite à l'eau citronnée. Vos pores seront nettement resserrés. Toutefois, la plante ne convient pas aux peaux sensibles sous cette forme, car elle contient de petits poils irritants.

Le jus de bourrache, qui purifie l'épiderme, désincruste et resserre les pores, est alors plus approprié. Écrasez les feuilles et les tiges au mortier (si vous avez une centrifugeuse, c'est parfait !), passez le jus dans un filtre (filtre à café ou linge fin), humectez un coton avec le liquide obtenu et appliquez-le sur les zones dilatées de votre visage.

Plus simplement, faites cuire des feuilles de jeunes orties dans un verre d'eau. Ajoutez quelques gouttes d'eau de rose et laissez refroidir. Faites une pâte et appliquez directement sur le visage. Laissez agir 15 minutes.

Ma grand-mère avait une méthode encore plus simple : dans un demi-verre d'eau de source, elle versait quelques gouttes de jus d'orange et s'en lotionnait le visage. Ses pores étaient resserrés et sa peau stimulée.

La bourrache *(Borago officinalis)*, plante de la famille des Borraginacées, se rencontre surtout en Europe centrale et méridionale, en Afrique du Nord, et dans les endroits incultes des régions tempérées. Considérée au Moyen Âge comme une plante génératrice de bon sang, c'est seulement à l'époque de la Renaissance que ses vertus thérapeutiques furent vraiment reconnues.

Les propriétés cicatrisantes, raffermissantes et restructurantes de la bourrache proviennent de sa composition : acides gras en grande quantité, acides organiques, alcaloïdes et flavonoïdes.

L'ortie *(Urtica urens)*, plante de la famille des Urticacées, est très commune en France au bord des chemins et dans les jardins. Son nom latin *urtica* vient du verbe *urere* qui signifie « brûler », allusion aux piqûres de ses poils.

La propriété astringente de l'ortie provient de la composition de ses parties aériennes, mais également de sa racine, riche en chlorophylle, en vitamines (A, C et E), en acides organiques et en flavonoïdes.

L'extrait de pulpe d'**orange** possède des vertus astringentes grâce à sa composition en acides organiques, en flavonoïdes et en coumarines.

TACHES DE ROUSSEUR HÉRÉDITAIRES

Les taches de rousseurs, dénommées éphélides dans le vocabulaire médical, sont souvent héréditaires : elles apparaissent chez les enfants et les adolescents blonds ou roux, et disparaissent en général après la puberté.

———

Montez un blanc d'œuf en neige. Incorporez le jus d'un citron, 10 g de sucre glace et 20 cl d'eau distillée sans cesser de battre. Étalez l'émulsion obtenue sur votre visage et faites pénétrer en massant doucement avant de vous coucher.

On ne peut pas garantir la disparition totale des taches de rousseur héréditaires, mais avec un peu de persévérance, on peut les atténuer en faisant le traitement régulièrement jusqu'à l'amélioration.

Deux applications par semaine pendant trois mois devraient atténuer les taches.

———

Le blanc d'œuf est composé d'albumine, de mucus, de matière saline, d'eau et surtout de vitamines A, D et E, qui entraînent une véritable action sur la peau : reconstitution des tissus (vitamine A), anti-oxydation et action pharmaco-dynamique sur différents tissus (vitamine E).

L'huile essentielle de citron contient en petite quantité des furocoumarines qui possèdent des propriétés photosensibilisantes. L'exposition au soleil est donc déconseillée pendant son application sur le visage.

TACHES DE ROUSSEUR APPARAISSANT AU SOLEIL

Ces taches ne sont pas héréditaires, mais elles surviennent sur les régions du corps (visage et bras) exposées au soleil. Il s'agit seulement de troubles de la pigmentation.

Quelquefois, au soleil, la peau de ma grand-mère se constellait de taches de rousseur. Ce qui aujourd'hui se cultive, était très mal vu à l'époque ! Elle allait cueillir un gros bouquet de persil dans le jardin et en faisait bouillir une grosse cuillerée de feuilles dans la valeur d'une tasse à thé d'eau chaude. Le reste du bouquet servait à la cuisine. Elle laissait macérer pendant 20 minutes, puis filtrait, laissait refroidir et mettait dans une petite bouteille. Elle rajoutait alors quelques gouttes d'huile essentielle de citron et appliquait sur son visage (propre !) matin et soir. À la longue les taches de rousseur disparaissaient.

Nos grands-mères irlandaises laissaient tremper pendant 15 jours 60 g de fleurs de bruyère fraîches dans 25 cl d'huile d'olive. Elles filtraient et utilisaient cette décoction tous les soirs en massage pendant une quinzaine de jours.

Le persil *(Petroselinum sativum)*, plante de la famille des Ombellifères, se trouve à l'état sauvage dans les lieux couverts et ombragés, en Provence et en Sardaigne.
Son activité adoucissante provient surtout de son huile essentielle constituée de phénols tels que l'apiol et la myristine.

L'huile essentielle de citron contient en petite quantité des furocoumarines qui possèdent des propriétés photosensibilisantes. L'exposition au soleil est donc déconseillée pendant son application sur le visage.

La bruyère commune *(Calluna vulgaris)*, plante de la famille des Éricacées, est un sous-arbrisseau tortueux qui se plaît en terrain siliceux. On la trouve dans presque toute l'Europe, le nord-ouest de l'Asie, le nord de l'Afrique et de l'Amérique.
Les propriétés de ses fleurs sur la peau sont dues à ses principaux constituants : tanins et arbutoside.

TEINT BROUILLÉ

Un teint brouillé est un aspect particulier de la peau du visage dont la fraîcheur est altérée. Il apparaît dans la plupart des cas à la suite d'excès alimentaires ou de boisson.

Réduisez en purée au mixeur une carotte et un bouquet de persil (feuilles et tiges incluses). Appliquez le tout sur le visage et le cou en une couche épaisse. Gardez ce masque 20 minutes puis enlevez-le à l'eau tiède.

Ce masque épure la peau de ses toxines et lui redonne finesse, élasticité et souplesse.

Le persil *(Petroselinum sativum)*, plante de la famille des Ombellifères, pousse dans toute la France, dans le sud-est de l'Europe, en Asie occidentale et en Afrique septentrionale. Il est employé comme plante médicinale depuis l'Antiquité.

Le persil renferme une huile essentielle (myristine et apiol), des flavonoïdes, des coumarines et des vitamines A, C et E en teneur élevée. Ces composants ont sur la peau des propriétés à la fois antiseptiques, adoucissantes, astringentes, purifiantes, et tonifiantes.

La carotte *(Daucus carrota)*, plante de la famille des Ombellifères, est cultivée dans toute l'Europe, en Amérique du Nord et en Asie centrale.

Ses principes actifs sont nombreux : vitamines C, B et B1, provitamine A (carotène), sucres (glucose et saccharose) et pectine. Ils agissent principalement sur la peau en la tonifiant et en la détoxiquant.

Bien entendu, si le teint brouillé persiste malgré les applications de cette préparation sur la peau, il faut envisager la recherche médicale d'une cause interne (foie, reins, vésicule biliaire…).

PEAU DESQUAMÉE

La desquamation de la peau est une élimination des couches superficielles de l'épiderme sous forme de pellicules, de plaques, de lamelles ou de squames, d'où l'appellation de desquamation.
Cette fonction d'élimination des cellules mortes est un phénomène physiologique normal et familier qui passe plus ou moins inaperçu.

Certains étés, après la fenaison, nos grands-mères paysannes avaient la peau du visage desquamée. Elles faisaient alors bouillir des épinards pendant 10 minutes à feu doux dans du lait, laissaient refroidir, égouttaient les épinards et se les appliquaient en masque. C'était en même temps un moment de détente après les durs travaux des champs. Le résultat était très efficace.

Une autre solution : pour adoucir votre peau desquamée, faites infuser une poignée de violettes dans 1/2 litre d'eau bouillante, filtrez puis servez-vous-en comme lotion.

Mettez une poignée de violettes dans 1/4 de litre d'huile d'amande douce ou de pépin de raisin. Laissez macérer pendant 8 jours. Remuez bien, filtrez et conservez, bouché, à l'ombre. Appliquez ce produit après la lotion. Gardez-le toute la nuit sur le visage.

L'épinard *(Spinacia oleracea)*, plante de la famille des Chénopodiacées, est probablement originaire d'Orient. Introduit en Espagne par les Arabes au XIe siècle, il gagna la France au XIIIe siècle, puis le reste de l'Europe plus tardivement.
Très riche en sels minéraux, en acides aminés et en vitamines (C, B1, B2 et PP), il a sur la peau desquamée une action adoucissante et régénérante.

La violette *(Viola odorata)*, plante de la famille des Violacées, est commune dans les bois, les haies, les pelouses de tout l'hémisphère Nord. Elle était très connue des Anciens pour certaines de ses vertus médicinales. On l'appelle encore fleur de mars, violette des haies, violette de mars, viole de carême, jacée de printemps.
Malgré sa présence en faible quantité, son huile essentielle riche en aldéhydes et en alcools lui donne son célèbre parfum. Anthocyanosides et mucilages lui confèrent ses propriétés émollientes et adoucissantes.

Des problèmes cutanés comme le psoriasis et certaines maladies organiques peuvent entraîner un phénomène de desquamation beaucoup plus important. Il ne faut donc pas hésiter à consulter un dermatologue en cas d'insuccès de ce remède.

PEAU RELÂCHÉE

Plus l'être humain avance en âge, plus les cellules de la peau vieillissent, le visage se ride, la peau se distend et devient plus ou moins flasque, les tissus se relâchent. Phénomène normal et naturel de la vie, ce vieillissement des tissus est cependant fort disgracieux et souvent très mal accepté.

Il existe un « secret » de beauté que les Anciens employaient le plus souvent à titre préventif, qui consiste à se masser le visage et le cou avec du jus de pomme.

Vous pouvez le faire soit deux fois par jour (matin et soir), soit une seule fois par jour, soit encore deux à trois fois par semaine, selon l'évolution de votre peau.

Comme le jus de pomme s'oxyde rapidement, il est préférable d'exprimer ce jus d'une pomme fraîche, juste avant de s'en servir.

Le pommier *(Pirus malus)*, arbre de la famille des Rosacées, est cultivé un peu partout dans le monde. Il regroupe aujourd'hui plus de cent variétés différentes. Son implantation en Normandie daterait du XIe siècle.

La pomme est l'un des fruits les plus complets quant à sa composition, riche en acides organiques, en pectine, en tanins et surtout en vitamines (A, B1, B2, PP, C et E).

Ces composants lui confèrent des propriétés adoucissantes, exfoliantes et astringentes. Le jus de pomme frais prévient donc le phénomène des rides et du relâchement de l'épiderme et raffermit la peau du visage qui s'affaisse.

VISAGE FLÉTRI

Ma grand-mère tenait de sa grand-mère un remède pour nourrir l'épiderme, qu'elle utilisait souvent. Elle mélangeait 1 cuillerée à café de son de blé, 1 cuillerée à soupe de lait chaud, 1 cuillerée à café de crème fraîche et 1 cuillerée à soupe de miel. Elle gardait ce masque 20 minutes sur son visage qu'elle nettoyait ensuite soigneusement avec une lotion.

Vous pouvez aussi battre un blanc d'œuf et y ajouter un peu de jus d'une orange fraîchement pressée. Appliquez sur le visage et le cou en évitant les contours des yeux et les lèvres. Lorsque le masque a séché, enlevez-le soigneusement. La peau de votre visage aura retrouvé tension et éclat. Vous pouvez alors l'enduire d'un peu d'huile d'amande douce.

Le son de blé permet de détendre les muscles du visage et de stimuler la régénération des cellules de la peau. Il doit ses propriétés actives à sa composition riche en vitamines (A, B, C, D et K) et à son complexe de gluten et d'amidon.

L'activité émolliente de **la crème fraîche** provient de ses matières grasses, sa caséine, son albumine et son lactose.

Le miel relâche les tissus et stimule la croissance et la division de cellules.

Le blanc d'œuf, riche en albumine et en vitamines diverses (A, B1, B2, B6, D et E), constitue pour la peau du visage un apport nutritif considérable.

Le jus d'**orange** possède des propriétés adoucissantes, régénérantes et tonifiantes grâce à sa composition en acides organiques et en flavonoïdes.

Les propriétés régénérantes et adoucissantes de **l'huile d'amande douce** proviennent de ses principes actifs, de ses tanins et de ses vitamines.

VISAGE BOURSOUFLÉ

On peut dire qu'un visage est boursouflé lorsqu'il présente un gonflement anormal causé par un phénomène inflammatoire qui entraîne un léger œdème de la peau.

Épluchez une pomme de terre crue puis râpez-la. Étendez-la sur de la gaze et appliquez cet emplâtre sur le visage pendant un quart d'heure. Renouvelez cette compresse plusieurs fois dans la journée avec, bien entendu, une nouvelle pomme de terre à chaque fois (ce masque est aussi très efficace contre le gonflement des paupières).

Ma grand-mère, quand elle se sentait « toute bouffie », jetait une poignée de feuilles de lierre coupées en morceaux dans une casserole d'eau bouillante. Elle faisait bouillir 30 secondes, égouttait, laissait tiédir et posait les feuilles sur son visage pendant 10 minutes. Puis elle ôtait le « masque » et rinçait soigneusement. Le gonflement était bien diminué.

La pomme de terre *(Solanum tuberosum)*, plante de la famille des Solanacées, est originaire d'Amérique du Sud. Introduit au XVIᵉ siècle en Europe, ce tubercule fut longtemps relégué au rang de curiosité botanique : en 1616, on le servait en France comme une rareté sur la table de Louis XIII. Cultivée désormais partout dans l'hémisphère Nord, la pomme de terre est devenue l'un des légumes les plus consommés.

Elle joue un rôle important d'anti-inflammatoire grâce aux propriétés de l'amidon (15 à 20 %) qui relâche les tissus.

Le lierre commun *(Hedera helix)*, plante grimpante de la famille des Araliacées, se rencontre dans les régions tempérées de l'Europe, ainsi qu'en Asie tempérée. Cet arbrisseau sarmenteux, qui s'élève le long des arbres et des murs, possède plusieurs appellations : lierre grimpant, lierre des poètes, bourreau des arbres, rampe des maisons et rampe des bois.

Ses principes actifs, les saponosides et les flavonoïdes, possèdent des effets vaso-constricteurs sur la peau, décongestionnants et résolutifs.

Ce remède s'emploie pour les boursouflures légères du visage. Si la boursouflure ne diminue pas après une à deux applications, l'intervention d'un médecin sera indispensable. En effet, certaines causes non traitées rapidement peuvent avoir des conséquences néfastes : infections par furoncles, lymphangite, phlegmon, piqûres de moustiques ou de guêpes, œdèmes post-traumatiques consécutifs aux fractures…

VISAGE CONGESTIONNÉ

On dit d'un visage qu'il est congestionné lorsque se produit un afflux de sang (ou congestion) dans les vaisseaux qui l'irriguent : les joues, les oreilles ou les pommettes sont rouges.
Cette teinte que prend la peau du visage peut être causée par des facteurs multiples : agents physiques (froid, chaleur), agents psychologiques (émotion), agents inhibitionnels (vin, alcool).

Faites des compresses d'eau de rose, ou appliquez des lotions de camomille, de verveine ou de tilleul (une poignée infusée pendant 10 minutes dans 1/2 litre d'eau bouillante).

L'eau de rose est extraite de la rose rouge de Damas *(Rosa gallica)*, ou rose de Provins, plante de la famille des Rosacées, originaire d'Orient, qui a été rapportée des croisades par Thibaut de Champagne.
L'histoire veut que la rose ait été la première fleur cultivée par l'homme. Dans l'Antiquité, après le bain, ces dames se frottaient le corps avec de la poudre de rose et se passaient quelques gouttes d'huile de rose pour faire briller leurs paupières.
Les principes actifs de la rose proviennent de sa richesse en tanins et de son huile essentielle qui possèdent des propriétés anti-inflammatoires et astringentes.

La camomille romaine *(Anthemis nobilis)*, plante de la famille des Composées, est originaire d'Europe. Les Égyptiens l'avaient dédiée au soleil en raison de son efficacité contre les fièvres. Dioscoride et Galien la préconisaient contre les courbatures.

Ses traces de chamazulène, ses coumarines et ses flavonoïdes lui confèrent des propriétés anti-inflammatoires, adoucissantes et apaisantes.

La verveine officinale *(Verbena officinalis)*, plante de la famille des Verbénacées, pousse en Europe, en Asie, en Amérique et en Afrique. Elle fut pendant de nombreuses années considérée comme la plante magique par excellence. Les Romains la dédièrent à Venus en la nommant *Veneris herba*, ou herbe de Vénus.

Ses propriétés adoucissantes, astringentes et rafraîchissantes proviennent de ses composants iridoïdes, de son huile essentielle et de ses flavonoïdes.

Le tilleul *(Tilia cordata)*, plante de la famille des Tiliacées, est largement répandu à l'état sauvage dans toute l'Europe et en Asie Mineure. Arbre chargé d'histoire et de légendes, cette plante dédiée à Vénus par les Anciens a toujours été utilisée en médecine. Son importance était telle au XVIᵉ siècle qu'une ordonnance royale prescrivait de planter les routes de tilleuls et d'en réserver la récolte à un usage hospitalier. Son huile essentielle riche en farsénol a sur la peau une action sédative, adoucissante et émolliente.

MARBRURES OCCASIONNÉES PAR LE FROID

Sous l'action du froid, certaines personnes voient apparaître sur leur peau des sortes de marbrures de teinte rouge violacé, en quantité et de grandeur inégales, en réseau à mailles plus ou moins serrées. Leur dénomination de « marbrures » vient du fait que ces marques s'apparentent aux taches et aux veines du marbre.

Elles peuvent s'observer sur le visage comme au niveau du tronc et parfois s'étendre sur toute la surface du corps. Elles n'entraînent ni douleur, ni chaleur, ni démangeaison.

Ces marbrures sont la conséquence d'une mauvaise circulation générale de l'organisme.

Pour prévenir et éviter cette congestion, lotionnez-vous souvent d'eau de lys, obtenue en faisant bouillir au bain-marie, à petits bouillons, 120 g d'oignons de fleur de lys dans 1/2 litre d'eau que l'on laisse réduire aux deux tiers. Laissez sécher le liquide sur la peau.

Stimulez également la circulation de votre organisme par des bains chauds et des frictions avec de l'huile essentielle de térébenthine.

Le lys commun *(Lilum candidum)*, plante de la famille des Liliacées, est originaire du Liban. On le trouve dans les régions méditerranéennes et en Orient.

Ces effets sur la peau sont essentiellement dus à sa composition en enzymes (oxydases), flavonoïdes (anthocyanidines) et stéroïdes (phytostérol), qui entraînent une action émolliente, favorisant le relâchement et le repos des tissus.

La térébenthine est un composé naturel qui s'écoule soit spontanément des arbres qui la contiennent, soit par incision. Elle renferme des terpènes, des carbures et des acides. Plusieurs sortes de térébenthine peuvent être employées : térébenthine du Canada (sapin balsamifère), de Chypre (térébinthe), de Strasbourg (sapin argenté), de Bordeaux (pin). Ces composants agissent sur le système circulatoire en provoquant une rubéfaction, c'est-à-dire une congestion cutanée passagère et locale.

Ces marbrures peuvent s'accompagner de cyanose des extrémités, se traduisant par une coloration uniforme bleuâtre et diffuse, transitoire ou durable, des mains et des pieds.

Il faudra donc adjoindre à ces techniques externes un traitement médical complémentaire que seul un médecin pourra ordonner. L'absorption de plantes à visée circulatoire sera appropriée : gui, aubépine, marron d'Inde, arnica, armoise, souci, romarin, vigne rouge…

ACNÉ

L'acné est une maladie cutanée de la muqueuse du follicule pilo-sébacé. Elle concerne 90 % des adolescents à des degrés extrêmement variables.

Elle se traduit par une peau constamment grasse, des comédons fermés (microkystes) ou ouverts (points noirs) et des papules, des pustules ou des nodules. Les lésions d'acné siègent sur la partie médiane du visage au début (front et menton), puis s'étendent éventuellement sur les joues, la poitrine et le dos.

On pense à l'heure actuelle que l'alimentation ne jouerait aucun rôle dans l'apparition de l'acné. Par contre, les facteurs les plus favorisants sont l'hérédité, le soleil, les troubles hormonaux chez les filles et certains médicaments comme les corticoïdes et les antidépresseurs.

***

Mettez quatre feuilles de laitue dans 1/2 litre d'eau froide. Couvrez et portez lentement à ébullition, laissez bouillir à feu doux pendant 30 minutes. Mélangez la préparation obtenue à une quantité égale de lait. Appliquez immédiatement sur votre visage pendant 15 minutes. Nettoyez-vous le visage à l'eau.

Faites-vous un masque à la fraise. Écrasez 100 g de fraises ou, si possible, de fraises des bois, dans une assiette creuse. Ajoutez 10 cl de lait frais et 5 gouttes d'huile essentielle de lavande. Badigeonnez-vous le visage avec cette substance et gardez-la pendant au moins 15 minutes.

Écrasez deux abricots et ajoutez-y quelques gouttes d'huile d'amande douce. Faites-vous un masque avec le produit obtenu. Laissez agir pendant 15 à 20 minutes.

***

La laitue cultivée *(Lactuca sativa)*, plante de la famille des Composées, serait originaire d'Asie. Les Grecs et les Romains la consommaient déjà abondamment.

Ses principes actifs (lactucine et lactucopicrine) lui confèrent une action anti-inflammatoire et adoucissante. Les acides organiques (ascorbique, citrique et malique) favorisent les sécrétions de la peau et évacuent les glandes sébacées.

Le fraisier *(Fragaria vesca)*, de la famille des Rosacées, est une plante vivace commune dans les bois et les coteaux. On le trouve en Europe, en Asie, en Afrique du Nord et en Amérique. Ses fruits contiennent des acides organiques qui jouent un rôle important sur l'acné.

Les flavonoïdes, l'huile essentielle et la vitamine que **la fraise** contient provoquent un effet exfoliant et angio-protecteur.

L'huile de lavande, à base de linalol, de flavonoïdes et d'acides phénoliques, a comme propriété d'être à la fois adoucissante et antiseptique.

L'abricotier *(Prunus armeniaca)*, arbre de la famille des Rosacées, est sauvage de l'Iran à la Mandchourie. Les empereurs de Chine consommaient déjà ses fruits à la fin du IIIe millénaire avant notre ère. Les Romains le répandirent dans leurs possessions du Bassin méditerranéen. Il est aujourd'hui l'un des arbres fruitiers les plus cultivés.

L'abricot, très riche en vitamines (A, B1, B2, C, PP et E), en acides organiques et en flavonoïdes, a sur la peau des vertus à la fois régénératrices (vitamine A), vaso-dilatatrices sur les capillaires (vitamine B2), anti-oxydantes (vitamine E) et exfoliantes (acides organiques).

L'huile d'amande douce est cicatrisante, anti-inflammatoire et antiseptique grâce à ses principes actifs (alcool terpénique et flavonoïdes).

Si les divers remèdes naturels ne font pas d'effet, une consultation chez le spécialiste s'impose.

COUPEROSE

La couperose résulte de la dilatation des capillaires de la peau qui présentent une certaine fragilité. Son installation est en général lente et discrète. Elle atteint le nez, les joues, le front et marque le visage de fines rougeurs formant des stratifications.
Les causes prédisposantes peuvent être externes (vent, froid, soleil, brusque changement de température, produits détergents…) ou internes (troubles digestifs).

———————

Mettez deux laitues dans une casserole et recouvrez-les d'eau puis faites bouillir pendant 2 heures pour vous procurer de l'eau de laitue. Matin et soir, lotionnez les parties couperosées avec cette eau tiède. Séchez à la poudre d'amidon.

Vous pouvez également, avant de vous coucher, appliquer sur votre visage des feuilles de laitue fraîche : froissez délicatement les feuilles afin d'en exprimer le suc en surface. Laissez agir 30 minutes. Enlevez les feuilles et saupoudrez votre visage avec de la fécule de pomme de terre (à l'aide d'une houppette).

Composez-vous le masque suivant : 2 cuillerées à soupe d'argile en poudre, 3 cuillerées à soupe de jus d'orange, 1 cuillerée à café d'huile d'olive et 1 cuillerée à café de crème fraîche. Appliquez en insistant sur les endroits couperosés. Laissez agir un quart d'heure. Rincez à l'eau citronnée et séchez soigneusement.

———————

La laitue « vireuse » *(Lactuca virosa)*, plante de la famille des Composées, se trouve à l'état sauvage en Europe centrale et méridionale. Elle est commune en climats atlantique et méditerranéen.

Elle possède des propriétés anticouperose grâce à ses vitamines A et B et à ses acides organiques.

L'argile provient de la décomposition des feldspaths. Elle est composée essentiellement de silice et d'alumine.

Sa principale propriété concernant la couperose provient de l'alumine qui agit sur la microcirculation en resserrant les tissus.

L'oranger amer ou bigaradier *(Citrus aurantium)*, arbre de la famille des Rutacées, est originaire du nord de l'Inde. Son fruit, **l'orange**, a pour principale vertu de resserrer les tissus grâce à sa composition en acides organiques et coumarines qui agissent sur les microvaisseaux.

DARTRES

Les dartres se caractérisent par une desquamation de l'épiderme, accompagnée de rougeurs et de démangeaisons situées en général sur le visage et plus précisément aux commissures des lèvres. Ils prennent l'aspect de plaques rougeâtres légèrement rêches au toucher.
Certains éléments extérieurs peuvent favoriser leur apparition, surtout sur les peaux fines, comme un temps froid et sec, l'emploi de détergents trop « toxiques », ou l'usage de cosmétiques inadaptés.

———

Quoi de plus disgracieux que ces plaques sur le visage ? Ne vous laissez pas envahir. Faites des compresses imbibées d'une décoction de 20 g de fleurs de bruyère et de 20 g de racines de bardane. Laissez bouillir 15 minutes dans 1/2 litre d'eau. Passez, laissez tiédir et mettez-vous les compresses sur le visage pendant une dizaine de minutes. Selon l'importance des dartres, vous pouvez renouveler cette opération deux à trois fois par jour.

Ou bien faites des cataplasmes de carottes râpées ou de feuilles d'épinard macérées dans de l'huile d'olive.

Essayez un masque de pomme de terre crue, râpée ou coupée en fines rondelles et appliquée directement sur le visage. Massez ensuite à l'huile d'olive, à l'huile d'amande douce ou à l'huile de ricin.
Vous devriez rapidement venir à bout des dartres et retrouver tout l'éclat de votre visage.

———

La bruyère cendrée *(Erica cinerea)*, plante de la famille des Éricacées, est un sous-arbrisseau qui pousse en Europe océanique et méditerranéenne. Très connue dans l'ouest et le centre de la France, cette plante aime les coteaux siliceux secs et les bois clairs.

Sa teneur en proanthocyanidine lui confère une action anti-inflammatoire. Ses diastases, ses acides organiques et ses flavonoïdes lui attribuent des activités antiseptiques, adoucissantes et purifiantes. Enfin, ses tanins ont une propriété protectrice sur le réseau capillaire sanguin.

La bardane *(Arctium lappa)*, plante de la famille des Composées, est commune dans les régions tempérées de toute l'Europe et pousse surtout dans les clairières.

Sa racine très allongée est composée de polyènes, dont la principale action est antibactérienne, et d'acides-alcools qui ont un rôle dépuratif sur la peau.

La carotte *(Daucus carrota)*, plante de la famille des Ombellifères, se trouve dans toute l'Europe, en Asie centrale et en Amérique du Nord.

De par sa composition en acides organiques, en phénols et en huile essentielle, la partie souterraine de la carotte est un bon anti-inflammatoire et un adoucissant majeur.

L'épinard *(Spinacia oleracea)*, plante de la famille des Chénopodiacées, originaire d'Orient, n'est pas connu à l'état sauvage.

Sa richesse en vitamine A, en sels minéraux et en acide folique lui confère une action adoucissante et régénérante de la peau.

La pomme de terre *(Solanum tuberosum)*, plante de la famille des Solanacées, est originaire du Pérou. Les Incas la cultivaient sous le non de « papa » 800 à 900 ans avant J.-C. L'amidon qu'elle contient (20 %) a la propriété de lutter contre l'inflammation et d'être adoucissante.

DENTIFRICE MAISON

Faites sécher des feuilles de sauge dans un linge fin. Réduisez-les en poudre (avec un rouleau à pâtisserie). Vous obtiendrez une excellente pâte dentifrice qui raffermit les gencives, parfume l'haleine et conserve les dents.

Autre pâte dentifrice remarquable, faites sécher des écorces d'orange et de mandarine. Réduisez-les en poudre et additionnez-les d'un peu de poudre de clou de girofle.

Le savon de Marseille est un excellent dentifrice. Rincez-vous la bouche avec une infusion de menthe ou quelques gouttes d'arnica pour éliminer le mauvais goût et parfumer votre haleine.

En été, écrasez une ou deux fraises sur votre brosse à dents et brossez ! Ne mangez pas la fraise, crachez-la ! La fraise blanchit les dents, raffermit les gencives et combat le tartre. Rincez à l'eau tiède ou avec une infusion de pétales d'œillet (l'œillet est antiseptique).

Pour la santé de vos dents, croquez beaucoup de pommes et grignotez des carottes crues.

Sachez que si vous campez dans la forêt, le charbon de bois en poudre est un excellent dentifrice.

Enfin, mesdames et messieurs les fumeurs, quelques gouttes de citron sur votre brosse à dents fortifieront vos gencives et blanchiront vos dents.

LES LÈVRES

Les lèvres forment le contour de la bouche. Leur face externe est constituée de peau et leur face interne, ou muqueuse, présente au milieu un repli ou frein, plus prononcé à la lèvre supérieure.

Le bord lisse et rose est un tissu intermédiaire entre la peau et la muqueuse, où sont placés des muscles très adhérents à la peau, qui donnent les divers jeux de physionomie.

Les lèvres possèdent trois à cinq couches de peau, alors que le reste du corps en a une quinzaine environ. Elles ont assez de mélanine pour se protéger du soleil, mais ne contiennent guère de glandes sébacées, et ne sont donc naturellement pas hydratées.

Très fragile, cette zone peut connaître des pathologies plus ou moins graves : gerçures, inflammations, abcès, herpès, furoncles, ulcérations… Il ne faut donc pas négliger l'hygiène des lèvres et savoir que la plupart des produits que l'on y applique sont ingérés par l'organisme. Aussi veillera-t-on à n'utiliser que des produits non toxiques pour les soigner.

BAUME NOURRISSANT POUR LES LÈVRES

Faites fondre au bain-marie 20 g de cire vierge et 6 cl d'huile d'amande douce. Remuez. Laissez refroidir et ajoutez 1 goutte d'essence de rose. Ce baume adoucit remarquablement les lèvres et prévient le dessèchement.

Ma grand-mère faisait ceci : elle mélangeait 2 cuillerées à soupe de miel rosat (vous pouvez utiliser le miel de votre choix) à 1 cuillerée à soupe d'infusion de pétales de rose (1 cuillerée à café de pétales pour 1/2 tasse d'eau chaude). Elle mettait la préparation dans un petit pot qu'elle gardait au frais quelques jours et l'utilisait en baume nourrissant pour les lèvres.

Vous pouvez aussi faire fondre au bain-marie 1 cuillerée à soupe de cire d'abeille (ou de lanoline) avec 2 cuillerées à soupe d'huile de germe de blé. Retirez du feu et ajoutez 1 cuillerée à café d'eau minérale plate. Remuez bien, mettez en pot et appliquez régulièrement sur vos lèvres.
Les préparations maison ne doivent pas se garder très longtemps ; c'est pourquoi les proportions sont minimes. Respectez-les et refaites l'opération au fur et à mesure de vos besoins.

Mêlée à une huile, **la cire** permet d'élaborer une substance adoucissante et nourrissante.

L'huile d'amande douce possède des propriétés adoucissantes et nourrissantes liées à sa richesse en tanins, en lipides et en vitamines (A, B1, B2, B3, B5 et B6).

Le miel rosat, dont la préparation inclut un apport de roses rouges, agit comme fortifiant et nourrissant pour les lèvres, grâce à sa composition riche en acide formique, en glucose et en lévulose.

Les pétales de rose ont des vertus adoucissantes et nourrissantes grâce à leurs dérivés phénoliques et leurs tanins.

L'huile de germe de blé, riche en vitamine E et en bêta-carotène, s'emploie comme régénérateur et tonifiant de la peau des lèvres.

LÈVRES SÈCHES

Frottez tous les soirs vos lèvres avec un mélange d'eau et de glycérine à part égale. Elles redeviendront douces très rapidement.

Ou bien mélangez 1 cuillerée à café de miel, 1 cuillerée à café d'eau florale de bleuet et 10 gouttes d'huile d'amande douce. Passez sur vos lèvres matin et soir. Vous aurez des lèvres douces.

Les eaux florales sont de véritables concentrés de principes actifs de la plante choisie. Cette dernière, distillée à la vapeur d'eau, libère son essence qui reste à la surface car elle est insoluble dans l'eau : c'est l'huile essentielle. L'autre partie, soluble dans l'eau, est l'eau florale qui contient des éthers volatiles, principes actifs de la plante.

L'eau florale de bleuet s'emploie fréquemment pour adoucir certains épidermes fragiles.

La glycérine est obtenue comme sous-produit lors de la fabrication des savons et des bougies. Il s'agit d'un trialcool liquide incolore, sirupeux, de saveur sucrée et soluble dans l'alcool.

La glycérine permet d'adoucir et d'assouplir la peau des lèvres.

Le miel, substance connue depuis l'Antiquité, a joué pendant de longs siècles un rôle important dans l'alimentation et dans le traitement de la peau en usage externe.

Ses propriétés antiseptiques, adoucissantes et régénérantes sont dues à sa composition en glucose, lévulose, acide formique, principes aromatiques, substances cireuses et principes azotés.

L'huile d'amande douce joue un rôle à la fois régénérant et adoucissant grâce à ses principes actifs et ses tanins.

LÈVRES GERCÉES

Si vos lèvres sont gercées, faites fondre 12 g de cire vierge à feu doux et incorporez lentement 6 à 7 cl d'huile d'olive en mélangeant soigneusement. Parfumez avec quelques gouttes d'essence de votre choix. Frottez doucement vos lèvres avec la préparation que vous garderez toute la nuit. Vous pouvez remplacer l'huile d'olive par de l'huile d'amande douce parfumée à l'essence de rose.

La cire est une substance grasse sécrétée par certains animaux (abeilles) ou extraite de quelques végétaux (résine). La cire étant débarrassée du miel, on la fait fondre d'abord dans l'eau bouillante, puis seule, et on la coule dans des moules. Dans cet état, on obtient de la cire brute, ou jaune ou vierge.
Employée avec de l'huile d'olive, elle permet l'élaboration d'une substance adoucissante et cicatrisante.

Arbre civilisateur par excellence, l'olivier (*Olea europea*) a été domestiqué en Asie occidentale voici des millénaires. L'olive renferme des glucides, des protides, de l'huile, ainsi que de nombreux minéraux (calcium), des acides organiques, des enzymes et des vitamines (A, B1, B2 et PP). **L'huile d'olive** possède des propriétés nutritives, cicatrisantes et assouplissantes sur la peau des lèvres grâce à sa haute teneur en acide oléique.

Quant à **l'huile d'amande douce**, elle a le pouvoir d'assouplir, d'adoucir et de cicatriser, grâce à sa haute teneur en acides gras.

YEUX BRILLANTS

Dans les années soixante, certaines de nos actrices françaises aux yeux bleus étaient connues pour se mettre quelques gouttes de citron ou de jus d'orange dans les yeux juste avant le tournage. Devaient-elles l'intensité de leur regard à cet artifice ? Peut-être pas. Mais le blanc de l'œil était éclatant et le bleu brillait intensément.

Vous pouvez aussi prendre une œillère, petit récipient ovale spécialement adapté pour faire des bains d'œil, et la remplir de thé tiède ou froid.

Le citron et **l'orange** ont des propriétés hydratantes et rafraîchissantes grâce à leur teneur en acides hydroxylés et en huile essentielle. Le plus étonnant, c'est que l'application dans l'œil de ces deux substances n'entraîne aucun problème d'irritation.

Quant au **thé**, grâce à sa teneur en tanins et à ses composés phénoliques, il dispose de propriétés adoucissantes et antiseptiques.

YEUX FATIGUÉS

Une simple infusion de camomille en compresse est très efficace. Vous pouvez utiliser les sachets tout prêts que l'on trouve dans le commerce. Faites une infusion de camomille pendant 10 minutes, laissez refroidir puis placez les compresses sur vos yeux. Allongez-vous et restez au repos pendant 1/2 heure.

Pour les yeux bleus, faites bouillir pendant 10 minutes une poignée de bleuets dans 1/4 de litre d'eau distillée. Une fois la décoction refroidie, utilisez-la en compresses.

En saison, coupez une tranche de coing frais et posez-la sur vos yeux. Détendez-vous pendant 1/4 d'heure.

La camomille romaine *(Anthemis nobilis)*, plante de la famille des Composées, est signalée pour la première fois à Londres au XVIe siècle comme mauvaise herbe. On la trouve aujourd'hui en France dans les moissons et les terres sablonneuses des régions maritimes de l'Ouest. En Anjou, une variété à fleurs doubles fait la renommée de la commune et des habitants de Chemillé qui, à eux seuls, fournissent toute la production française. Elle est encore appelée camomèle, camomille odorante, anthémis odorante, camomille noble.
Cette plante possède des fonctions analgésiques, anti-inflammatoires, adoucissantes et apaisantes, grâce aux traces de chamazulène que contient son huile essentielle, à ses flavonoïdes (apigénol et lutéolol) et à ses acides phénoliques.

Le bleuet ou fleur des moissons *(Centaurea cyanus)*, plante de la famille des Composées, est commun dans les champs de céréales d'Europe et d'Asie. C'est au fabuleux

Chiron, savant éducateur d'Achille fort versé en médecine, considéré comme mi-homme, mi-cheval, qu'elle emprunte son nom de centaurée.

Les fleurs de cette plante furent utilisées au Moyen Âge comme collyre, d'où son surnom de « casse-lunette », allusion à son action bienfaisante sur la vue.

Ses effets anti-inflammatoires, astringents et décongestionnants proviennent de sa composition en polyines (principe amer) et en pectine.

Le cognassier *(Cydonia vulgaris)*, arbre de la famille des Rosacées, est originaire d'Iran et de Transcaucasie. Fréquemment cultivée dans les vergers, l'espèce servait parfois aussi dans le Sud-Ouest et le Midi à borner les champs ou les chemins communaux. Ses fruits furent plus appréciés aux temps anciens pour leur parfum que pour leurs vertus médicinales.

Le coing est riche en tanins, ce qui lui confère des propriétés à la fois anti-inflammatoires, adoucissantes et astringentes.

YEUX IRRITÉS

Faites des compresses d'infusion de cerfeuil ou de laitue. Jetez un bouquet de cerfeuil ou le cœur d'une laitue dans 1/2 litre d'eau bouillante et laissez infuser 5 minutes. Vos yeux devraient rapidement retrouver leur couleur normale.

Si vous avez de l'huile de ricin, vous pouvez en mettre une goutte (à la température ambiante) dans chaque œil pour les décongestionner.

Le cerfeuil *(Antharicus cerefolium)*, plante de la famille des Ombellifères, vit à l'état spontané en Europe centrale et orientale. On le cultive un peu partout dans les potagers. Son usage en France à la fois comme herbe médicinale et comme assaisonnement remonte au Moyen Âge.

Le cerfeuil doit ses propriétés adoucissantes et anti-inflammatoires à ses acides organiques (acide ascorbique), à son huile essentielle composée d'estragol, ainsi qu'à ses flavonoïdes.

La laitue « vireuse » *(Lactuca virosa)*, plante de la famille des Composées, se trouve à l'état spontané en Europe centrale et méridionale, en Afrique du Nord et en Asie occidentale. Cultivée depuis l'Antiquité, la laitue compte à peu près une centaine de variétés différentes. Elle doit ses propriétés hydratantes, adoucissantes et anti-inflammatoires à la composition de ses feuilles : principes amers, acides organiques, acides phénoliques et flavonoïdes.

L'huile de ricin est hydratante et anti-inflammatoire grâce à sa composition en acides gras et en alcaloïdes.

POCHES
SOUS LES YEUX

Faites des fumigations de décoction de romarin. Pour plus d'efficacité, couvrez-vous la tête d'une serviette pour ne rien perdre de la vapeur. Cette méthode a en plus l'avantage d'éclaircir votre teint s'il est un peu brouillé après une soirée agitée.

Râpez une pomme de terre crue. Appliquez-la en cataplasme sur les poches pendant 15 minutes (vous pouvez aussi le faire sur des paupières enflées).

Vous pouvez aussi utiliser des sachets de thé humidifiés et congelés que vous appliquerez sur les poches sous les yeux jusqu'à réchauffement.

Le romarin (*Rosmarinus officinalis*), plante de la famille des Labiées, se trouve dans les contrées méridionales de l'Europe.
Sa principale propriété consiste à faire diminuer l'œdème grâce à la composition de son huile essentielle riche en alpha-pinéne, bornéol, camphre et cinéol.

La pomme de terre (*Solanum tuberosum*), plante de la famille des Solanacées, joue son principal rôle d'anti-inflammatoire grâce à la propriété essentielle de son amidon qui relâche les tissus enflammés.

Le thé vert (*Camellia sinensis*), plante de la famille des Théacées, aurait été découvert selon une légende indienne par le prince Bhodi-Dharma.

Alors qu'il voyageait en Chine, ce dernier avait fait vœu de ne pas dormir pendant sept ans pour prêcher le bouddhisme. Un jour, il sombra dans un sommeil profond. À son réveil, il se coupa les paupières pour ne plus dormir et les enterra. Plus tard, un étrange arbuste poussa à cet endroit. Le Bhodi-Dharma goûta les feuilles et s'aperçut qu'elles permettaient de rester éveillé. Ainsi apparut la culture du thé. La teneur du thé en tanin lui confère des propriétés astringentes et adoucissantes.

L'action du froid intervient également dans la diminution des poches sous les yeux. Son action vaso-constrictrice (diminution du diamètre des vaisseaux sanguins) entraîne une augmentation de la vitesse de circulation du sang dans les veines et les lymphatiques ce qui permet une « vidange » de l'œdème de surface.

YEUX CONGESTIONNÉS APRÈS UN LIFTING

Le lifting, terme anglais qui provient du verbe to lift (soulever), est un procédé chirurgical destiné à supprimer les rides et les anomalies du visage par tension de l'épiderme. De nombreuses techniques existent à l'heure actuelle, mises au point par les chirurgiens de chirurgie plastique ou plasticiens.

Après l'intervention chirurgicale, le contour des yeux est congestionné. Afin de le faire dégonfler plus rapidement, faites la préparation suivante : mettez 1 cuillerée à café de thé (vert ou noir) dans 1/4 de litre d'eau. Couvrez et portez l'ensemble doucement à ébullition. Laissez frémir pendant 10 minutes, puis retirez du feu.

Laissez la décoction tiédir, puis trempez-y des disques de coton à démaquiller. Posez ces disques de coton imbibés sur un papier cellophane et mettez-les dans votre congélateur ou à défaut votre freezer.

Une fois l'opération terminée, déposez les compresses congelées (que vous aurez laissées décongeler légèrement) sous et sur les yeux quelques instants. Cela permettra une nette réduction des œdèmes.

Lorsque les points seront enlevés, nettoyez-vous la peau avec des compresses trempées dans du thé fort et froid pour accélérer la disparition des marques.

Le thé vert *(Camellia sinensis)*, plante de la famille des Théacées, aurait soit une origine indienne, proche de l'Assam (région montagneuse et boisée de l'extrémité orientale de l'Inde), soit une origine chinoise.

Utilisé depuis la haute antiquité en Orient, le thé fut importé en France au début du XVIIe siècle par les jésuites.

Il existe de nombreuses variétés de thé vert : le Sencha et le Bancha du Japon, l'Assam vert et le Darjeeling vert de l'Inde, le Gunpowder (« poudre à canon ») et le Lung ching de la Chine.

Le thé noir est un thé obtenu par fermentation du thé vert.

En usage local, ces différents thés présentent des propriétés astringentes, adoucissantes, antiradicalaires et tonifiantes dues à la présence de tanins, de polyphénols et de flavonoïdes.

ŒIL AU BEURRE NOIR

Avoir un œil au beurre noir signifie que le pourtour de l'œil est marqué de noir du fait d'une tuméfaction consécutive à un coup violent (coup de poing, choc traumatique…), sans lésion ni déchirure de la peau. Le terme de « coquard » est également très souvent employé.

Le traumatisme s'accompagne souvent d'une douleur violente au départ, puis lancinante par la suite.

———

Coupez une pomme en quatre. Râpez le premier quart et enfermez la pulpe obtenue dans une gaze. Appliquez 15 minutes sur l'œil. Utilisez le deuxième quart la deuxième heure et ainsi de suite. Au bout de ces quatre heures, votre hématome devrait avoir disparu et la douleur s'être calmée. Sinon, recommencez l'opération avec une seconde pomme.

———

Le pommier *(Pirus malus)*, arbre de la famille des Rosacées, existe à l'état sauvage en Europe, en Asie Mineure, dans le Caucase et le nord de L'Iran. Il est connu depuis les temps préhistoriques.

Son fruit contient de nombreuses substances actives, notamment des glucides, des protéines, des minéraux (calcium, magnésium, phosphore, potassium), des vitamines (A, B et C), des phénols, des flavonoïdes et des tanins. Ces principes actifs possèdent des propriétés adoucissantes, exfoliantes et astringentes.

Un œil au beurre noir est en général un problème bénin. Cependant, l'importance du traumatisme peut amener à consulter un spécialiste en cas de pathologie plus grave : traumatisme crânien, plaie du lobe oculaire...

BEAUTÉ DES SOURCILS

Je vais vous livrer un secret de harem ! Les femmes noircissaient et allongeaient leurs sourcils en mélangeant de l'encre de Chine à de l'eau de rose (deux gouttes d'encre de Chine dans 1 cuillerée à café d'eau de rose) en se servant d'un pinceau très fin ou d'un bâtonnet de khôl.

L'encre de Chine est une préparation à base de noir de fumée fixé avec une colle particulière et aromatisée.

L'eau de rose est préparée à partir d'une distillation de pétales de rose dite rose pâle *(Rosa damascena)*, ou rose de Damas. Originaire du Caucase, cette fleur a été cultivée depuis le IXe siècle par les Perses, les Grecs, les Romains et les populations du Proche-Orient.
Mélangée à l'encre de Chine, elle possède des propriétés antiseptiques et adoucissantes, dues à la présence de ses tanins (tanins galliques) et de ses dérivés phénoliques (quercétine et cyanidine).

INFLAMMATION DES PAUPIÈRES

Nombreuses sont les causes qui peuvent entraîner une inflammation des paupières avec ou sans douleur : conjonctivite, rhinite, poussière, allergie, fumée, travail à la lumière artificielle, ordinateur, pollution, intempéries…

Pour combattre ce phénomène très gênant, pressez des fraises dans un linge pour en recueillir le jus. Lavez délicatement vos paupières avec ce jus.

Ou bien préparez une infusion de plantain (une poignée pour une tasse d'eau), filtrez, laissez refroidir et mélangez à 25 cl d'eau de rose. Mettez le tout en bouteille. Vous utiliserez cette préparation sur des compresses que vous appliquerez sur les paupières.

Le fraisier *(Fragaria vesca)*, plante de la famille des Rosacées, possède plusieurs dénominations : fraisier des bois, caperonnier, capron, fraisier musqué ou breslinge. Il affectionne les sous-bois, les haies et les coteaux. Commun en Europe, en Asie, en Afrique du Nord et en Amérique, il donne un fruit, **la fraise**, qui constitue la partie comestible de la plante. La fraise est riche en fer, en sucre, en huile essentielle et en dérivés anthocyaniques, qui lui confèrent des propriétés astringentes et angio-protectrices.

L'eau de rose est un extrait obtenu à partir de pétales frais et récemment cueillis de rose pâle *(Rosa centifolia)*, originaire du Caucase et cultivée depuis longtemps par les Perses, les Grecs, les Romains et les populations du Proche-Orient.

Son huile essentielle présente des propriétés adoucissantes, ses tanins lui confèrent des caractéristiques astringentes, ses dérivés phénoliques sont antiseptiques.

Le plantain *(Plantago major)*, herbe de la famille des Plantaginacées, est répandu dans toute la France, en Europe, en Afrique du Nord et en Asie tempérée.

Les plantains sont au nombre de trois espèces différentes : le grand plantain, le plantain moyen et le plantain lancéolé. Tous trois ont une activité anti-inflammatoire et astringente grâce à leur composition riche en iridoïdes, en mucilage, en tanin et en pectine. Les Anciens utilisaient déjà ces plantes comme principes émollients et astringents.

PAUPIÈRES RIDÉES

Mélangez une poignée de pétales de roses, de bleuets et des fleurs de camomille en quantités égales et plongez-les dans une petite casserole d'eau froide. Couvrez et portez l'ensemble doucement à ébullition. Faites bouillir 3 minutes au maximum et laissez refroidir.

Recueillez les fleurs, mettez-les dans une gaze, et recouvrez vos paupières matin et soir pendant 10 minutes avec cette compresse. Vous pouvez utiliser la même compresse pour le matin et le soir.

Recommencez à l'aide d'une nouvelle décoction le lendemain.

Les rides de vos paupières s'atténueront petit à petit. Le résultat final dépendra bien sûr de la détérioration de la peau au départ.

La rose de France *(Rosa gallica)* ou rose de Provins, plante de la famille des Rosacées, croît spontanément dans tout le Bassin méditerranéen.

Ses propriétés astringentes (tanins) et adoucissantes (dérivés phénoliques et huile essentielle à base de monoterpènes) accélèrent la cicatrisation de la peau.

La camomille romaine *(Anthemis nobilis)* est sans doute la plante médicinale la plus employée depuis des siècles en médecine familiale. Son appellation de « romaine » vient de son identification à Rome au xve siècle.

Son huile essentielle composée surtout de chamazulène, ses flavonoïdes (apigénine et lutéoline), ses coumarines et ses tanins catéchiques lui confèrent en cosmétique des propriétés adoucissantes, antiradicalaires et régénérantes.

Le bleuet *(Centaurea cyanus)*, plante de la famille des Composées, est très commun dans les moissons de toute l'Europe et de l'Asie occidentale.

Son activité astringente provient de sa composition en pigments anthocyaniques et flavoniques et en polyines (principe amer).

RIDULES PROVOQUÉES PAR LE SOLEIL

Pour atténuer les ridules qui se forment autour des yeux et des lèvres à la suite d'expositions prolongées au soleil, les Italiennes mélangent 1/2 volume d'huile d'olive et 1/2 volume d'huile de pépin de raisin.

Elles appliquent cette préparation sur le contour des yeux et des lèvres, matin et soir, et laissent la peau l'absorber.

L'huile d'olive contient 80 % d'acide oléique, 7 % d'acide linoléique et des traces d'acide alpha-linolénique. Ces acides gras représentent plus de 95 % de l'huile, alors que les 5 % restant se composent de caroténoïdes (provitamine A) et de tocophérols (vitamine E).

Les acides gras de l'huile d'olive assouplissent, tonifient et nourrissent la peau, tout en améliorant son élasticité.

La provitamine A ou bêta-carotène nourrit l'épiderme.

La vitamine E ou alpha-tocophérol prévient le vieillissement prématuré de la peau en luttant contre les radicaux libres.

L'huile de pépin de raisin contient 45 % d'acide linoléique et une grande quantité de vitamine E. Les pépins de raisin contiennent un grand nombre de polyphénols qui permettent de neutraliser les radicaux libres, cause de vieillissement prématuré de la peau. Ces polyphénols renforcent la microcirculation et empêchent la destruction de certains éléments fondamentaux des tissus de soutien de la peau (acide hyaluronique et glycuronique).

PATTES D'OIE

Les « pattes d'oie » désignent les petites rides divergentes situées à l'angle externe des yeux. Contrairement aux rides de vieillissement qui sont des plissures cutanées apparaissant à la suite de modifications biologiques à l'intérieur des tissus, les rides de la patte d'oie représentent des plissures dites d'expression, provoquées par des contractions musculaires fréquentes ou anormales de certains muscles peauciers, sans qu'il existe de dégénérescence d'ordre biologique.

Nettoyez soigneusement votre peau à l'aide d'un savon, surgras de préférence.

Écrasez soigneusement une vingtaine de fraises dans une coupelle, les fraises des bois étant les plus appropriées. Répartissez la pulpe ainsi obtenue en masque sur les pattes d'oie. Laissez sécher une vingtaine de minutes. Rincez à l'eau, minérale de préférence.

Un masque quotidien le premier mois, puis deux fois par semaine par la suite, devrait parvenir à atténuer ces rides d'expression.

Les fraises ont l'avantage de dilater les pores de la peau, ce qui permet à vos crèmes de pénétrer plus facilement après le masque.

Vous pouvez aussi utiliser en masque des pommes de terre et des betteraves mélangées à parts égales.

L'essence de romarin en application locale et en massages doux donne aussi d'excellents résultats.

La fraise est le fruit d'une plante de la famille des Rosa-cées, le fraisier *(Fragaria vesca)*, très commun en France, dans toute l'Europe, ainsi qu'en Asie, en Afrique du Nord et en Amérique. Les Grecs et les Romains connaissaient le fraisier, mais les premières traces de son utilisation médicale n'apparaissent qu'au XVIᵉ siècle.

Le fruit renferme des vitamines (A, B et C) et de nombreux minéraux dont le principal effet sur la peau est de resserrer les fibres tissulaires et d'enlever les cellules mortes.

La pomme de terre *(Solanum tuberosum)*, plante de la famille des Solanacées, joue un rôle anti-inflammatoire, adoucissant et de relâchement des tissus, grâce à sa haute teneur en amidon.

La betterave *(Beta vulgaris)*, plante de la famille des Chénopodiacées, possédait à l'état sauvage une racine grêle, devenue tubérisée par la culture. Particulièrement riche en matières minérales, en acides organiques, en com-posés phénoliques et en vitamines (B1, B2, B3, PP, B5, B6, B9 et D), elle possède des propriétés à la fois anti-inflam-matoires, adoucissantes, hydratantes et stimulantes sur les capillaires.

Le romarin *(Rosmarinus officinalis)*, plante de la famille des Labiées, tire son nom du latin *ros* (rosée) et *marinus* (mer), qui fait allusion à son parfum et à sa présence sur les coteaux maritimes.

Son huile essentielle permet une action anti-oxydante, puri-fiante et tonifiante.

RIDES PRÉCOCES AUTOUR DES YEUX

Mélangez 1 cuillerée à soupe de beurre de cacao, 1 cuillerée à soupe de lanoline et 1 cuillerée à café d'huile de germe de blé. Faites-les chauffer au bain-marie pendant 15 minutes à feu doux. Ajoutez une goutte d'essence de romarin et laissez refroidir en remuant de temps en temps. Appliquez cette crème au coucher en tapotant par petites touches.

Il vaut mieux poser ce masque le week-end lorsque l'on est tranquillement chez soi car la crème est un peu luisante.

Le cacaoyer *(Theobroma cacao)*, plante de la famille des Sterculiacées, est originaire des plaines d'Amérique tropicale (Mexique, République dominicaine, Brésil, Colombie, Équateur et Venezuela).

Il est aujourd'hui cultivé surtout au Brésil et le long des côtes occidentales africaines (Ghana, Nigeria).

Le cacao contient de la vitamine A et de la vitamine D, aux propriétés anti-oxydantes et adoucissantes. Sa forte proportion en composés phénoliques (flavonoïdes) le dote aussi d'une action antiradicalaire sur la peau.

La lanoline, matière grasse extraite du suint de la laine de mouton, contient des acides gras et des alcools libres estérifiés qui rendent la peau plus souple et l'adoucissent.

L'huile de germe de blé est obtenue après mouture et blutage du blé. Cette huile est très riche en vitamine E et en bêta-carotène ou provitamine A, ce qui lui confère des pouvoirs tonifiants et régénérants pour la peau.

Le romarin *(Rosmarinus officinalis)*, plante de la famille des Labiées, était très employé dans les rites anciens chez les Grecs et les Égyptiens.
Son huile essentielle possède des vertus anti-oxydantes, tonifiantes et régénérantes, grâce à sa teneur en acide romarinique.

FEU DU RASOIR

Et mon grand-père dans tout ça ? Il avait droit lui aussi aux recettes de ma grand-mère !
Pour éviter le feu du rasoir, elle lui appliquait sur le visage des cataplasmes de feuilles de laitue. Elle cuisait deux ou trois feuilles dans le contenu d'une tasse à café d'huile d'olive pendant que mon grand-père se rasait.
Après rasage, elle lui appliquait sur la peau plus ou moins irritée par la lame du rasoir, moins performante à l'époque qu'aujourd'hui, un cataplasme élaboré à l'aide de ces feuilles de laitue et d'un peu d'huile d'olive qu'elle avait mis à l'intérieur d'une compresse ou d'un linge très fin.
L'inflammation et l'irritation de la peau du visage disparaissaient alors rapidement.

La laitue « vireuse » *(Lactuca virosa)*, plante de la famille des Composées, est cultivée sous les climats atlantique et méditerranéen. On la trouve à l'état spontané en Europe centrale et méridionale, en Afrique du Nord et en Asie occidentale. Ses principes amers (lactones), sa lactucine et sa lactucopicrine possèdent des propriétés anti-inflammatoires, analgésiques et adoucissantes.

L'huile d'olive permet de rétracter les tissus enflammés et de diminuer les phénomènes douloureux.

POUR LES CHEVEUX

LES CHEVEUX

1. STRUCTURE ET DÉFINITION

Le cheveu est, comme le poil, une tige de kératine (protéine à forme de spirale), située au niveau du cuir chevelu. La racine est située sous la surface de la peau et se continue par la tige constituée de cellules riches en kératine. À chaque cheveu est annexée une glande sébacée qui a pour rôle de « graisser » le cuir chevelu.

L'être humain possède environ 100 000 à 150 000 cheveux sur une surface de 250 cm^2. Leur durée de vie séquentielle est de 2 à 6 ans. La vitesse de pousse du cheveu est d'environ 1 mm tous les 3 jours, soit 12 à 15 cm par an. Cette pousse dépend de plusieurs facteurs : localisation, sexe, âge, saison, ethnie… La perte normale de cheveux est de 50 à 100 par jour. Au printemps et en automne, ils tombent en plus grande quantité (phénomène de mue). Ils tendent à diminuer à la ménopause et avec l'âge.

COUPE SCHÉMATIQUE D'UN CHEVEU

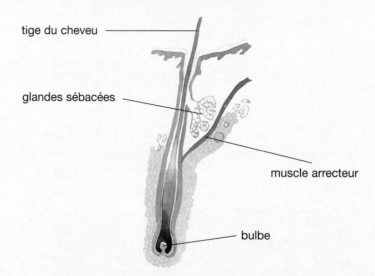

tige du cheveu

glandes sébacées

muscle arrecteur

bulbe

110

2. HISTORIQUE

Dans la mythologie grecque, la chevelure chez les femmes est considérée comme un symbole de séduction : Aphrodite enveloppait sa nudité dans sa longue chevelure blonde ; Vénus s'occupait elle-même de ses cheveux ; Ariane envoûta Dionysos grâce à sa belle parure flottante. Chez l'homme, elle est symbole de force : Samson tirait sa force prodigieuse de l'opulence de sa chevelure.

Dans la Grèce antique, l'importance de la chevelure était telle que l'offrande suprême consistait à la couper pour la donner aux dieux. En Égypte, les prêtres d'Isis se rasaient pour manifester leur détachement. Les bonzes encore aujourd'hui se font tondre en signe de renoncement et de soumission.

Chez les Gaulois et les Francs, la chevelure était synonyme de noblesse et de puissance.

En temps de guerre chez les Indiens, les cheveux représentaient de véritables trophées (scalp).

Lors de la Seconde Guerre mondiale, certaines femmes accusées d'avoir eu des liaisons avec les Allemands étaient tondues et exhibées.

3. LES CHEVEUX ET LA SANTÉ

Le cheveu est le reflet d'une bonne santé de l'organisme. Certains facteurs contrôlent la pousse du cheveu.

Les facteurs hormonaux
L'aspect du cheveu peut se modifier pendant la grossesse ou à la puberté, en raison de dérèglements hormonaux ou de prises de médicaments agissant sur le système endocrinien…

Les facteurs génétiques
La pousse et la nature du cheveu sont différentes d'un individu à un autre, y compris au sein d'une même famille.

Les facteurs nutritionnels

Une alimentation équilibrée favorise un bon état du cheveu. Une alimentation carencée en protéines, acides aminés et vitamines, peut donner un cheveu terne et dénutri.

Les facteurs psychologiques

Un choc psycho-affectif peut entraîner une chute plus ou moins généralisée des cheveux (accident de voiture, accouchement, intervention chirurgicale…).

Les facteurs médicamenteux

Certains traitements de chimiothérapie peuvent faire tomber la totalité des cheveux de manière passagère.

Les facteurs endocriniens

Un dysfonctionnement de la glande thyroïde peut causer de sérieux dégâts au niveau des cheveux.

Dans certains cas, des causes externes peuvent altérer la bonne pousse du cheveu : une mycose du cuir chevelu peut éclaircir par plaques les cheveux, un frottement répété peut causer une chute des cheveux très localisée (usure des cheveux sur l'oreiller chez le nouveau-né), un traumatisme peut entraîner la chute des cheveux (alopécie) autour d'une cicatrice, certaines lésions suppurantes du cuir chevelu peuvent entraîner l'apparition de plaques d'alopécies très limitées (pyodermites, folliculites, furoncles…).
En menant une vie saine (alimentation équilibrée, prise d'alcool de manière très modérée, absence de tabac et de drogues), vous améliorerez la santé de votre cheveu.
Bien sûr la pollution atmosphérique n'est pas un facteur prédisposant à une belle chevelure.
Enfin, il faut faire attention à tous les abus concernant l'entretien des cheveux : permanentes et brushings trop rapprochés, shampooings inadaptés, produits toxiques…
En cas de problèmes du cuir chevelu ou du cheveu lui-même, il est fortement conseillé de consulter des professionnels (dermatologues) avant d'essayer de se traiter soi-même.

SHAMPOOING POUR CHEVEUX BLONDS

Faites une infusion de camomille avec 2 cuillerées à soupe de fleurs séchées pour 1 litre d'eau. Laissez refroidir, puis filtrez. Ajoutez le jus d'un demi-citron. Râpez 150 g de savon de Marseille et faites-le dissoudre dans l'infusion. Faites bouillir le mélange jusqu'à ce que l'eau soit claire. Retirez du feu et battez pour obtenir un mélange mousseux.

La camomille *(Matricaria chamomilla)*, plante de la famille des Composées, est une petite fleur sauvage à l'odeur caractéristique. C'est sans doute l'une des plantes médicinales les plus populaires, d'où son appellation traditionnelle de « camomille des champs ». On la trouve à l'heure actuelle partout dans le monde.
Ses composants (huile essentielle, flavonoïdes, glucosides, coumarines et tanins) lui confèrent des propriétés antiseptiques, purifiantes et régénérantes pour les cheveux.

Le jus de **citron** contient des vitamines du groupe B et PP, du calcium, du fer et surtout de la vitamine C en grande quantité. Son huile essentielle possède des propriétés antiseptiques, pigmentantes et séborégulatrices pour les cheveux.

Le savon de Marseille, formé de la combinaison d'acides gras avec un alcali (soude ou potasse), sert de base à la fabrication du shampooing.

SHAMPOOING POUR CHEVEUX FONCÉS

Faites une infusion avec 2 cuillerées à soupe de sauge rouge séchée pour 1 litre d'eau. Laissez refroidir, puis filtrez. Râpez 150 g de savon de Marseille et faites-le dissoudre dans l'infusion. Faites bouillir le mélange jusqu'à ce que l'eau soit claire. Retirez du feu et battez jusqu'à l'obtention d'un mélange mousseux.

La sauge *(Salvia officinalis)*, plante de la famille des Labiées, pousse dans tout le Bassin méditerranéen.
Connue des Grecs, des Romains et des Arabes, la sauge officinale contient de nombreuses substances très actives en usage externe, comme les flavonoïdes, l'acide rosmarinique et son huile essentielle, aux vertus adoucissantes, régénérantes, antiseptiques et anti-oxydantes.

MASQUE CAPILLAIRE NOURRISSANT

« Aujourd'hui, je nourris mes cheveux ! » disait quelquefois ma grand-mère. L'image de la « becquée » nous faisait beaucoup rire et nous la regardions faire avec curiosité. Elle mélangeait deux œufs entiers à 1 cuillerée d'huile d'olive (première pression à froid) et 2 cuillerées à soupe de rhum ambré. Elle fouettait énergiquement et appliquait cette mixture sur ses cheveux pendant 15 minutes. Elle rinçait ensuite soigneusement et faisait un shampooing doux. Elle laissait ensuite sécher ses cheveux au soleil.

Le jaune d'œuf contient de la lécithine qui nourrit le cheveu grâce à sa composition en acide glycéro-phosphorique uni à un acide gras et à une base, la choline.
Le blanc d'œuf est composé surtout d'albumine. Les vitamines qu'il renferme (A, D, E, B1, B2 et B6) sont un apport nutritif pour le cheveu.

L'huile d'olive contient 7 % d'acide linoléique, des traces d'acide alpha-linolénique et 80 % d'acide oléique. Ces acides gras dits « polyinsaturés » jouent un rôle fondamental dans la nourriture et la tonification du cheveu.

Le rhum ambré, alcool produit par la distillation de la canne à sucre, contient 60 % d'alcool et beaucoup de sucre. L'alcool tonifie et le sucre évite le dessèchement.

CHEVEUX FORTIFIÉS

L'ortie stimule la circulation du cuir chevelu et améliore la santé des cheveux. Faites bouillir pendant une demi-heure 100 g d'ortie fraîche dans 1/2 litre d'eau et 1/2 litre de vinaigre de vin blanc. Laissez refroidir, filtrez et massez-vous quotidiennement le cuir chevelu avec cette lotion. Elle a d'excellents résultats mais est malheureusement d'odeur très désagréable.

Si vous craignez cette odeur, faites plutôt des décoctions de marjolaine à raison de deux poignées dans une tasse d'eau. Laissez bouillir 10 minutes à petit feu. Laissez refroidir. Massez votre cuir chevelu quotidiennement.

L'ortie *(Urtica urens)*, plante de la famille des Urticacées, se rencontre en Europe tempérée, et notamment en France au bord des chemins, dans les lieux incultes et dans les jardins.

Riche en chlorophylle, en vitamines (A, C, E), en acides organiques et en éléments minéraux (fer, magnésium, soufre, silicium), l'ortie a une action antipelliculaire, stimulante et reminéralisante pour le cheveu.

La marjolaine *(Origanum majorana)*, plante de la famille des Labiées, est très répandue dans le Bassin méditerranéen où elle est cultivée. On l'appelle encore marjolaine à coquilles, marjolaine d'Orient ou grand origan. Originaire d'Orient, cette plante, connue des Égyptiens et des Grecs pour ses vertus médicinales, fut vulgarisée en Occident par les médecins arabes. À la Renaissance, elle était utilisée comme stimulant général.

Sa composition en acides organiques, en vitamine C, en composés phénoliques (acide romarinique) et son huile essentielle riche en carvacrol lui donnent des vertus tonifiantes, anti-oxydantes et régénérantes pour les cheveux.

CHEVEUX SOUPLES ET DOUX

Faites infuser 1 cuillerée à soupe de feuilles de bouleau pendant 20 minutes dans 1/2 litre d'eau bouillante, puis filtrez. Utilisez votre shampooing, rincez vos cheveux à l'eau claire puis servez-vous de la totalité de cette préparation pour finir le rinçage. Renouvelez l'opération après chaque shampooing. Vos cheveux deviendront vite souples et doux.

Le bouleau *(Betula alba)*, ou aulne blanc, est un arbre qui pousse sur les sols siliceux. Il se trouve en France, dans toute l'Europe sauf la région méditerranéenne, ainsi qu'en Asie septentrionale.
Considéré dans la tradition chamanique comme « l'arbre de la sagesse » pour exorciser et protéger, le bouleau symbolisait, chez les peuples germaniques, le printemps, la vie et la fécondité. L'utilisation de ses feuilles est très ancienne. Leur principe actif est dû à la présence de flavonoïdes, de tanins et de saponines qui ont une action astringente, purifiante et tonifiante.

CHEVEUX SECS

Un cheveu sec est un cheveu insuffisamment lubrifié en sébum à cause d'une diminution de la sécrétion des glandes sébacées. Il devient alors sensible à tous les traumatismes et peut se casser plus facilement.

Pour diminuer la sécheresse du cheveu, faites un shampooing doux et appliquez ensuite un mélange de 4 cuillerées à soupe de yaourt nature mélangées à un œuf. Gardez le masque cinq bonnes minutes et rincez soigneusement à l'eau froide. Attention, il est assez rare d'appliquer des masques après le shampooing. N'oubliez donc pas de faire votre shampooing avant.

Pour nourrir vos cheveux secs, faites bouillir au bain-marie de la moelle de bœuf, ajoutez un jaune d'œuf et 1 cuillerée à soupe de rhum. Mélangez soigneusement cette préparation et, une fois tiède, étalez-la sur le cuir chevelu. Gardez-la toute la nuit si vous le pouvez, en vous couvrant alors la tête avec un foulard. Rincez soigneusement et faites votre shampooing doux. Vous obtiendrez d'excellents résultats.

Faites macérer pendant 20 jours dans 1/2 litre de vin rouge, de préférence du saint-émilion, 30 g de sommités fleuries de romarin. Filtrez et appliquez sur le cuir chevelu. Massez longuement pendant environ 3 minutes et recommencez l'opération plusieurs fois. Vos cheveux devraient être moins secs.

Pour éviter le dessèchement dû à l'eau de mer, rincez vos cheveux à l'eau sucrée (2 morceaux de sucre fondus dans l'eau de rinçage).

Le yaourt contient des grandes quantités de protéines, de vitamines et de minéraux. Il s'agit d'un hydratant naturel qui rendra les cheveux moins secs.

L'œuf permet une nourriture du cheveu et une hydratation grâce à sa lécithine, à son albumine et aux vitamines qu'il renferme.

L'huile d'amande douce possède des propriétés hydratantes et adoucissantes grâce à ses flavonoïdes, ses alcools terpéniques et sa haute teneur en acides gras.

La moelle de bœuf contient en abondance de la lécithine phosphorée qui permet une restructuration des cheveux en stimulant sa croissance.

Le rhum contient 60 % d'alcool et beaucoup de sucre, ce qui va tonifier le cheveu et éviter son dessèchement.

Outre ses effets protecteurs sur les maladies cardio-vasculaires, établis par des études récentes, **le vin de Saint-Émilion**, célèbre appellation du Bordelais, a une action tonifiante sur les cheveux grâce à sa richesse en éléments minéraux (calcium, magnésium, potassium, fer), en phénols, en tanins et en vitamines naturelles (B et C).

Le romarin *(Rosmarinus officinalis)*, plante de la famille des Labiées, pousse spontanément dans tout le Bassin méditerranéen en sol calcaire ensoleillé.
Anti-oxydant et régulateur du sébum du cuir chevelu, il stimule la repousse du cheveu, grâce à sa composition en acide rosmarinique et à son huile essentielle à odeur fortement camphrée.

CHEVEUX GRAS

La séborrhée est une exagération pathologique de la sécrétion des glandes sébacées, dont les causes sont encore mal définies – hormonales, génétiques ou vasculaires. Ce dérèglement des glandes sébacées entraîne un aspect « gras » des cheveux.
Ces glandes, situées dans la partie superficielle du derme et annexées au follicule pileux, ont pour rôle de sécréter des gouttelettes graisseuses de sébum, sorte de fluide ressemblant à un vernis gras. Le sébum permet de lubrifier le cheveu, qui demeure ainsi souple et brillant, et de rendre la surface cutanée imperméable, ce qui la défend contre les germes et les microbes.

Faites une fois par semaine une vigoureuse friction de jus de citron sur votre cuir chevelu. Le jus de citron sera obtenu à partir de citrons non traités de manière chimique, de préférence issus de l'agriculture biologique.

Vous pouvez aussi faire une friction avec une infusion de sauge tiède (une poignée de feuilles sèches ou fraîches dans la valeur d'une tasse à thé), en essuyant ensuite votre tête avec une serviette chaude. Appliquez ce traitement une fois par semaine jusqu'à amélioration. Vous pouvez, si vous le souhaitez, augmenter la fréquence des frictions ou alterner avec le traitement au citron.

Essayez la préparation suivante : faites macérer 20 g de poivre de Cayenne dans 2 cl de rhum pendant 3 jours. Filtrez et ajoutez 2,5 cl d'huile de ricin, 10 cl d'alcool et 10 cl d'eau de Cologne. Mettez en bouteille. Massez-vous le cuir chevelu avec ce mélange deux fois par semaine. Vous aurez de bons résultats.

Une autre solution consiste à étaler de l'huile de ricin, lentement, sur le cuir chevelu. Massez avec douceur pour faire pénétrer le produit. Gardez-le toute la nuit après avoir enveloppé vos cheveux dans une serviette. Lavez-vous la tête le lendemain matin avec un shampooing doux et naturel. Cette technique peut être employée deux fois par semaine au départ pendant trois semaines, puis une fois tous les dix jours environ les deux mois suivants, enfin une fois toutes les trois semaines par la suite.

***

Le citronnier *(Citrus limonum)* était déjà cultivé en Chine il y a 3 000 ans. Son fruit est réputé, en usage externe, comme désinfectant et comme tonifiant des petits vaisseaux, stimulant ainsi la microcirculation. Ces propriétés sont dues aux flavonoïdes qui sont des facteurs vitaminiques P agissant sur cette microcirculation et régulant ainsi une mauvaise circulation.

La sauge *(Salvia officinalis)*, sous-arbrisseau de la région méditerranéenne, est considérée depuis la nuit des temps comme une plante aux vertus exceptionnelles, à l'image de son nom latin *salvia*, qui signifie « salvatrice ». Elle dégage une forte odeur balsamique.
Elle est employée dans cette indication en usage externe pour trois propriétés particulières : astringente par son tanin, bactéricide grâce à la présence de salvine et antiséborrhéique par son huile essentielle contenant de la thuyone, du camphre et de l'eucalyptol, qui paralyse les terminaisons nerveuses de ces glandes.

En cas de séborrhée grave, les cheveux tomberont d'abord par intervalles, puis constamment et en quantité plus ou moins importante, pouvant entraîner une calvitie partielle. Comme la séborrhée est sous dépendance hormonale (notamment la testostérone), une consultation chez un spécialiste s'imposera en cas d'exagération de cette sécrétion.

CHEVEUX ABÎMÉS ET CASSANTS

Après la moisson et les foins, les cheveux de ma grand-mère étaient quelquefois abîmés par la poussière et le soleil. Elle confectionnait alors une purée de bananes mélangée à quelques gouttes d'huile d'amande douce puis elle massait sa chevelure pendant 15 minutes. C'était aussi une manière de se détendre après les rudes travaux des champs. Elle rinçait ensuite soigneusement et finissait par un shampooing léger.

Vous pouvez également composer la mixture suivante : mélangez un œuf, 1/4 de tasse de vinaigre de cidre, 1/4 de tasse de miel de lavande ou de romarin (à défaut n'importe quel miel). Ajoutez ensuite 1/2 tasse d'huile d'olive et fouettez énergiquement. Appliquez la mixture obtenue sur vos cheveux mouillés en faisant bien pénétrer. Laissez reposer une bonne demi-heure avant de faire votre shampooing. Renouvelez l'opération avant chaque shampooing. Vos cheveux retrouveront très vite toute leur vigueur.

Le jaune d'œuf contient de la lécithine qui stimule la nutrition cellulaire ainsi que la croissance du cheveu.

Le vinaigre de cidre résulte de la fermentation acide du cidre. Il permet d'améliorer la texture du cheveu.

Employé comme antiseptique depuis des siècles par voie interne et externe, **le miel de lavande** mélangé au vinaigre de cidre agit sur les cheveux comme fortifiant et tonique grâce à sa composition spécifique (acide formique, glucose et lévulose) et aux propriétés adoucissantes, régénérantes et tonifiantes de l'extrait de lavande.

L'huile d'olive contient 7 % d'acide linoléique, des traces d'acide alpha-linolénique et surtout 80 % d'acide oléique. Obtenue à partir du fruit de l'olivier *(Olea europea)*, plante de la famille des Oléacées, cette huile a des propriétés adoucissantes et émollientes.

Le bananier *(Mosa sinensis)*, grande plante herbacée de la famille des Musacées, est originaire d'Asie méridionale. Son fruit, **la banane**, renferme des glucides, de l'amidon, des matières minérales et des acides organiques, qui lui confèrent des propriétés fortifiantes et régénérantes.

L'amandier doux *(Prunus amygdalus communis)*, plante de la famille des Rosacées, donne les amandes douces dont on extrait l'huile. Ses principes actifs (alcools terpéniques et flavonoïdes) possèdent des propriétés régénérantes.

CHEVEUX MOUS

Mélangez un demi-verre de bière à deux jaunes d'œufs battus en omelette. Faites une friction énergique sur vos cheveux. Rincez et shampooinez.

Vous pouvez également préparer un conditionneur avant votre shampooing en procédant de la façon suivante : faites une mayonnaise (sans moutarde), appliquez-la sur vos cheveux et recouvrez-les d'un sac plastique ou d'un papier d'aluminium. Gardez le tout 15 minutes, puis lavez-vous la tête.

Plus simplement, trempez votre peigne dans de la bière ou du lait et passez-le soigneusement dans vos cheveux. Laissez sécher et rincez.

⸻

La bière est une boisson alcoolisée fermentée, faite d'orge germé et aromatisé avec des fleurs de houblon.
Elle contient des glucides, des protéines, des minéraux (potassium et magnésium) et des vitamines du groupe B. Tous ces ingrédients permettent une tonification du cheveu.

Le jaune d'œuf se compose de lécithine qui joue un rôle de reconstituant du cheveu grâce à sa richesse en acides glycéro-phosphoriques unis à un acide gras et à une base, la choline.

CHEVEUX TERNES

Certains cheveux bruns vivent mal le soleil, la pollution de la ville ou la fatigue. Ils sont alors non seulement desséchés (voir cheveux secs) mais ils prennent aussi une couleur un peu terne, loin de leur belle couleur chaude habituelle.

⸻

Si vous êtes dans ce cas, faites bouillir l'équivalent d'un gros bol fermier d'eau. Éteignez le feu au premier bouillon et jetez dans l'eau une poignée de romarin et une poignée de sauge rouge séchée. Laissez infuser 10 minutes, passez et

servez-vous de ce liquide en dernier rinçage (après un rinçage soigneux à l'eau fraîche) après chaque shampooing,
jusqu'à amélioration.

***

Le romarin *(Rosmarinus officinalis)*, plante de la famille des
Labiées, est un arbrisseau aux rameaux dressés et touffus.
Commun dans les garrigues du midi de la France, très
répandu dans le Bassin méditerranéen, il est également
cultivé dans de nombreux jardins comme plante condimentaire pour son odeur aromatique fortement camphrée.
Le pouvoir tonifiant du romarin sur le cheveu est dû à
son acide rosmarinique (composé phénolique) qui est
anti-oxydant et antiradicalaire, et à son huile essentielle
composée de terpénoïdes qui est astringente, purifiante et
tonifiante.

La sauge *(Salvia officinalis)*, plante de la famille des
Labiées, affectionne particulièrement les lieux secs et
arides. Elle pousse dans les régions méditerranéennes de
l'Europe. En Amérique, on la cultive surtout dans un but
aromatique, à la manière d'une épice.
Depuis l'Antiquité, on la considère comme la panacée universelle, et l'école de Salerne enseignait toutes ses vertus.
Ne dit-on pas d'ailleurs, dans le midi de la France : « Qui a
de la sauge dans son jardin n'a pas besoin de médecin » ?
Son huile essentielle très riche en terpénoïdes détient
des propriétés régénérantes, tonifiantes sur les cheveux,
et antioxydantes.

CHEVEUX GRIS

Faites bouillir, à couvert et à petits bouillons, 1 cuillerée à café de thé avec 1 cuillerée à café de sauge séchée dans 1 litre d'eau pendant 2 heures. Laissez refroidir, filtrez, et ajoutez 1 cuillerée à soupe de rhum. Mettez en bouteille et passez sur vos cheveux avec un peigne, quatre à cinq fois par semaine. Au bout de deux ou trois mois vos cheveux doivent prendre une teinte beaucoup plus sombre.

***

Le thé vert *(Thea sinensis)*, plante de la famille des Théacées, est originaire d'Assam et de Chine. Ce breuvage constituait à l'origine chez les Indiens la « boisson impériale ». Il a été connu des Européens au XVIIe siècle.
Sa teneur en tanin lui confère des propriétés antiradicalaires et anti-oxydantes qui permettent aux cheveux de reprendre un aspect plus « jeune » grâce à son coloris.

La sauge *(Salvia officinalis)*, plante de la famille des Labiées, est un sous-arbrisseau de la région méditerranéenne. Au cours des siècles, Hippocrate, Dioscoride et Galien en ont vanté les bienfaits. Au Moyen Âge, elle était considérée comme une panacée universelle. L'école de Salerne en enseignait les mille et une vertus.
Cette plante est reconnue pour ses propriétés anti-oxydantes et tonifiantes sur les cheveux grâce à sa composition en huile essentielle (acide carnosique, thymol, coumarines et terpénoïdes).

CHUTE DES CHEVEUX

Faites bouillir pendant 1/2 heure dans 1/2 litre d'eau et un 1/4 de litre de vinaigre 100 g de racines ou de feuilles fraîches d'orties blanches hachées finement. Passez au tamis. Mettez en bouteille. Frictionnez votre cuir chevelu tous les soirs pendant 1 à 2 minutes avec cette préparation.

Ou alors mettez une poignée de romarin dans 1 litre de vin blanc. Laissez infuser pendant trois semaines. Frictionnez-vous la tête deux fois par semaine avec cette macération.

Lorsque vous avez tendance à perdre vos cheveux, faites-les toujours couper à la lune croissante. Faites de simples massages du cuir chevelu et de la nuque tous les jours.

Vous pouvez également faire des frictions au cresson. Centrifugez une botte de cresson pour en extraire le jus (ou passez-la au mixer pendant 2 minutes). Frictionnez votre cuir chevelu tous les matins, 10 jours par mois à la lune croissante.

Broyez des feuilles de capucine au mixeur et mélangez-les à une tasse d'eau. Filtrez. Frictionnez le cuir chevelu.

Faites une décoction de thym avec un verre de thym pour 1 litre d'eau froide. Laissez bouillir jusqu'à réduction de moitié. Faites une friction sur vos cheveux avec cette lotion, tous les matins. Ou bien faites une infusion avec un bouquet de feuilles fraîches d'ortie pour 1 litre d'eau. Procédez de la même manière en friction chaque matin.

L'ortie *(Urtica urens)*, plante de la famille des Urticacées, est très commune en France dans les haies, les coupes forestières et les terrains riches en nitrates.

Ses propriétés régénérantes, revitalisantes et restructurantes pour le cheveu sont dues à sa richesse en vitamines (A, C, E) et en matières minérales (fer, potassium, silicium…).

Le romarin *(Rosmarinus officinalis)*, plante de la famille des Labiées, est très répandu dans le Bassin méditerranéen et dans les garrigues. Il est également appelé l'herbe aux couronnes.

Les extraits de romarin et son huile essentielle possèdent des propriétés régénérantes et anti-oxydantes pour les cheveux. Ils stimulent également leur repousse.

Le cresson *(Nasturtium officinale)*, plante de la famille des Crucifères, pousse dans toute l'Europe, en Asie centrale, en Afrique du Nord et en Amérique.

Il possède des propriétés reminéralisantes et tonifiantes grâce à sa teneur en vitamines (A, B1, B2, D) et en minéraux (calcium, fer, iode, manganèse et potassium).

La capucine *(Tropaeolum majus)*, plante de la famille des Tropéolacées, est originaire du Pérou et du Mexique, d'où parfois son surnom de « cresson du Pérou » ou « cresson du Mexique ». Elle est fréquemment cultivée dans les jardins de toute l'Europe.

Les propriétés rubéfiantes de la capucine lui confèrent une activité tonique et antipelliculaire sur le cuir chevelu, ce qui contribue à l'amélioration du cheveu.

Le thym *(Thymus vulgaris)*, plante de la famille des Labiées, se trouve dans le midi de la France, en Italie, en Espagne et au Portugal. Il est encore appelé farigoule, barigoule, frigoule ou pote.

Sa fraction hydrosoluble est anti-oxydante, régénérante et tonifiante pour le cheveu.

PELLICULES

À l'état normal, l'épiderme du cuir chevelu connaît un phénomène de renouvellement cellulaire qui aboutit à une élimination des couches superficielles invisible à l'œil nu. Lorsque ce phénomène de renouvellement s'amplifie, des amas cellulaires se détachent en petits fragments et forment des pellicules.

Mélangez 12 cuillerées à soupe d'huile d'olive avec 3 cuillerées à soupe de rhum. Mettez en bouteille. Massez votre cuir chevelu quatre soirs de suite avec le mélange (dormez avec un foulard). Faites votre shampooing le cinquième jour. Renouvelez l'opération jusqu'à ce qu'il n'y ait plus trace de pellicules.

Vous pouvez aussi faire des massages du cuir chevelu avec de l'huile essentielle de géranium.

Laissez macérer toute une nuit 1 cuillerée à café de clous de girofle dans du rhum blanc et faites une friction.

Vous pouvez également masser vos cheveux trois ou quatre fois par semaine avec du vinaigre de cidre.

L'huile d'olive contient 7 % d'acide linoléique, des traces d'acide alpha-linolénique et surtout 80 % d'acide oléique dont l'effet protecteur sur les vaisseaux capillaires diminuerait progressivement les pellicules.

Le géranium Robert *(Geraniun robertianum)*, plante de la famille des Géraniacées, est une plante annuelle ou bisannuelle commune dans toute l'Europe, l'Asie, l'Afrique et l'Amérique du Nord. Très répandu en France, on le rencontre dans les endroits pierreux, arides et dans les lieux frais et sombres.

Par sa richesse en tanins et la présence d'une résine, le géranium a la propriété d'être astringent sur le cuir chevelu.

Le clou de girofle *(Eubenia caryophylatta)*, fruit du giroflier, arbre de la famille des Myrtacées, est originaire de l'archipel des Moluques, surnommé archipel des Épices. Les premières références au clou de girofle sont données par la littérature chinoise ancienne.

Sa richesse en huile essentielle (eugénol), ses composés terpéniques et ses tanins lui confèrent des propriétés anti-inflammatoires et antibactériennes puissantes.

Quant au **vinaigre de cidre**, qui provient de la fermentation du cidre, il contient des tanins qui ont un rôle astringent protecteur sur le cuir chevelu.

POUX

Les poux sont des insectes qui vivent en parasites dans les cheveux : on les appelle poux de tête pour les différencier des poux de corps et des poux du pubis ou morpions. Les poux de tête entraînent des démangeaisons très pénibles du cuir chevelu. Ils sont de moins en moins fréquents aujourd'hui.

Mélangez en quantité égale pour 25 cl de l'essence de cannelle, de l'essence de thym, de l'essence de romarin et de l'essence de pin, mettez en bouteille. Frottez votre cuir chevelu longuement, peignez pour éliminer les parasites (faites cela dans votre baignoire) et procédez à votre shampooing. Il est préférable de renouveler cette opération deux fois par jour (matin et soir pendant 2 ou 3 jours). En peu de temps, les poux devraient disparaître.

Pour renforcer votre traitement, vous pouvez également pendant un mois faire des frictions avec de l'huile essentielle de lavande, à raison d'une fois par semaine. Ces frictions sont également recommandées à titre préventif.

La cannelle de Ceylan *(Cinnamomum verum)* est une écorce fournie par le cannelier de Ceylan, arbre de la famille des Lauracées. Son huile essentielle, dont le constituant principal est l'aldéhyde cinnamique, possède une forte activité bactéricide.

Le thym *(Thymus vulgaris)*, plante de la famille des Labiées, pousse spontanément dans les pays du Bassin méditerranéen, mais on le cultive un peu partout dans le monde. Son huile essentielle composée de thymol et de carvacrol lui donne des propriétés anti-infectieuses, antivirales, anti-bactériennes et antifongiques.

Le romarin *(Rosmarinus officinalis)*, plante de la famille des Labiées, est un arbrisseau des régions méditerranéennes, poussant sur des sols calcaires à l'état sauvage ou cultivé. Il doit ses vertus antifongiques et antiparasitaires à la composition de son huile essentielle riche en terpénoïdes (camphre, linalol, bornéol, alpha-pinène).

Le pin sylvestre *(Pinus sylvestris)* et **le pin maritime** *(Pinus pinaster)*, arbres de la famille des Conifères, possèdent une huile essentielle riche en pinène et en phénols qui leur confèrent une propriété antiseptique.

En l'absence de soins suffisants, les lésions provoquées par la morsure des poux sur le cuir chevelu peuvent s'infecter. On observe alors de l'impétigo, des croûtes jaunâtres adhérant aux cheveux, des folliculites suppurées et de l'eczéma.
Si le traitement n'a pas réussi en 2 ou 3 jours à éliminer ces poux, il est préférable de consulter un médecin, car certains traitements très efficaces existent à l'heure actuelle.

BRILLANTINE

*Le terme de brillantine date de 1823 et désigne une pom-
made ou une huile parfumée faisant briller les cheveux.*

Mélangez les ingrédients suivants : 4 cl d'esprit-de-vin (nom
ancien de l'alcool), 2 cl d'eau bouillie, 1 cl de glycérine.
Ajoutez quelques gouttes de votre parfum pour le plaisir.
Frictionnez vos cheveux de cette préparation : ils deviendront instantanément brillants.

Ou bien faites un mélange d'huile de ricin (1/2 verre),
d'alcool à 90 % (1/2 verre) et du parfum de votre choix
(quelques gouttes) pour obtenir une odeur plus agréable.

La glycérine est un alcool triatomique qui provient de la
saponification de certaines matières grasses. Il s'agit d'un
liquide sirupeux, incolore, inodore et à saveur sucrée, dont
la principale propriété est de servir d'excipient, c'est-à-dire
de substance neutre qui entre dans la composition du produit élaboré, et qui permet de rendre les principes actifs
plus efficaces.

Le ricin *(Ricinus communis)* est une plante de la famille
des Euphorbiacées. **L'huile de ricin** est extraite de ses
semences. Elle est incolore, transparente, de saveur fade
et à l'odeur presque nulle. Son principe actif, l'acide rici-
noléique, est employé comme excipient (substance neutre)
de pommades servant à augmenter la tonicité des cheveux.

L'esprit-de-vin (plus communément appelé gnôle ou eau-
de-vie) est obtenu par distillation du vin.

REFLETS DORÉS SUR CHEVEUX CLAIRS

Ma grand-mère avait les cheveux châtain clair. Très coquette, elle essayait toujours de donner des reflets lumineux et changeants à ses cheveux. Elle allait cueillir dans le jardin de gros bouquets de camomille (elle en gardait précieusement pour l'hiver en en faisant sécher au grenier). Puis elle faisait bouillir deux bouquets de camomille dans 1 litre d'eau pendant 10 minutes, filtrait (je vous conseille de passer vos décoctions dans un filtre à café) et mettait en bouteille. Elle se rinçait les cheveux à l'eau puis se servait du liquide obtenu pour finir le rinçage (une bouteille pouvait servir à deux ou trois shampooings). En été, pour obtenir une couleur « soleil », elle ajoutait le jus d'un citron dans la décoction.

Après l'été, pour conserver ses beaux reflets dorés, elle additionnait le jus d'un citron à 1/2 litre d'eau puis rinçait ses cheveux avec ce mélange après son shampooing. Utilisez ce rinçage régulièrement pour un résultat garanti. Sans même faire un shampooing, il est possible d'utiliser ce mélange tous les jours après s'être mouillé les cheveux.

Du jus de coing additionné à la dernière eau de rinçage donne aussi des reflets dorés aux cheveux clairs.

La décoction de souci, moins connue, donnera aussi à vos cheveux de beaux reflets dorés. Procédez de la même manière que pour la décoction de camomille.

La camomille vraie ou petite camomille *(Matricaria chamomilla)*, plante de la famille des Composées, est très répandue dans les champs cultivés, les jardins, les talus de toute l'Europe et de l'Asie septentrionale.

Ses propriétés adoucissantes et antiradicalaires pour les cheveux proviennent de sa composition en principes actifs : chamazulène et hétérosides flavoniques (palustrine, quercetol et apigénine).

Le citronnier *(Citrus limonum)*, arbuste de la famille des Rutacées, était déjà cultivé en Chine il y a 3 000 ans. Sa culture se pratique aujourd'hui en Californie et dans les pays du Bassin méditerranéen, en particulier en Sicile.

Les propriétés détergentes et dépigmentantes du **citron** résultent de son huile essentielle (coumarine) et de sa teneur en acides hydroxylés.

Le cognassier *(Cydonia vulgaris)*, arbre de la famille des Rosacées, croît dans toute l'Europe. Originaire d'Iran et de Transcaucasie, il donne un fruit à odeur forte et à saveur astringente. Sa culture remonterait à 4 000 ans.

Le coing est employé depuis fort longtemps en médecine : Hippocrate, Dioscoride et Pline le prescrivaient déjà dans certaines indications thérapeutiques. Ses propriétés pigmentantes sont dues aux principes actifs riches en tanins, en flavonoïdes et en enzymes.

Le souci des jardins *(Calendula officinalis)*, de la famille des Composées, est l'une des plus anciennes plantes médicinales et d'ornement cultivées en Europe. On le surnomme « le baromètre », car ses fleurs n'éclosent que le matin par beau temps.

Son huile essentielle constituée de composants caroténoïdes (carotène, calenduline et lycopine), ses flavonoïdes et son tanin exercent sur les cheveux une action de pigmentation dorée.

REFLETS CUIVRÉS SUR CHEVEUX CHÂTAINS

Laissez infuser 100 g de thé vert dans une grande tasse d'eau bouillante. Filtrez et ajoutez une goutte d'huile essentielle de citron. Utilisez en dernière eau de rinçage. Faites cela à chaque shampooing et vos cheveux châtains retrouveront de beaux reflets cuivrés.

———

Le thé vert *(Thea sinensis)*, plante de la famille des Théacées, a été connu des Européens au XVIIᵉ siècle. Spontané dans les forêts pluvieuses, le théier est originaire d'Assam et de Chine. Sa culture s'est répandue au Sri Lanka, en Inde, dans le Sud-Est asiatique et au Japon.
Grâce à sa forte teneur en tanins et à ses alcaloïdes puriques, il possède des propriétés pigmentantes sur les cheveux.

L'huile essentielle de citron est une essence obtenue par expression, d'où son appellation d'essence de citron. Sa conservation est plus courte et si on la laisse s'oxyder, son odeur devient acide et son goût plus âcre.
Cette essence possède des propriétés pigmentantes grâce à sa teneur en composés phénoliques et à ses terpénoïdes.

POUR LE CORPS

BAIN AU SON DE BLÉ

Ma grand-mère utilisait souvent le son pour son bain. Mettez 200 g de son de blé dans 1 litre d'eau froide. Portez à ébullition, couvrez et laissez 10 minutes environ en remuant régulièrement. Filtrez cette bouillie à l'aide d'une passoire ou d'un tamis. Mettez la bouillie dans un petit sac de toile en prenant soin de bien le fermer. Versez l'eau de cuisson dans le bain et déposez le sac de toile dans le fond de votre baignoire.

———

Le blé *(Triticum sativum)*, céréale de la famille des Graminées, est cultivé dans le monde entier. Sa culture remonte à la préhistoire. Le son représente l'enveloppe des grains de blé réduite en fines particules.

Le bain au **son de blé** possède des propriétés relaxantes (détente des muscles et des membres fatigués), reconstituantes (stimulation de la régénération cutanée) et détoxiquantes (élimination de toxines musculaires).

Ses propriétés proviennent de ses principes actifs : vitamines A, B, C, D et K, inositophosphate de calcium et de magnésium aux propriétés reconstituantes, vitamines E pour détoxiquer ainsi que complexe de gluten et d'amidon pour une action relaxante.

BAIN AU SON D'AVOINE

Mettez 200 g de son d'avoine dans 1 litre d'eau froide. Portez à ébullition, couvrez et laissez 10 minutes environ en remuant de temps en temps. Filtrez cette bouillie à l'aide d'une passoire ou d'un tamis. Mettez le produit dans un sac de toile, fermez bien. Versez l'eau de cuisson dans le bain et déposez le sac de toile au fond de votre baignoire.

———

L'avoine (*Avena sativa*), plante de la famille des Graminées, est une céréale cultivée dans le monde entier, en dessous de 1 400 m d'altitude. Déjà au Moyen Âge, on utilisait des cataplasmes d'avoine contre certaines maladies de peau. Un bain au **son d'avoine** permet d'apaiser certaines inflammations de la peau et d'atténuer des éruptions cutanées, de fortifier le tissu conjonctif de la peau et de défatiguer l'ensemble de l'organisme. Son action anti-inflammatoire et émolliente serait due, selon Weis, à un alcaloïde indolique, la gramine. Sa richesse en acide silicique, en protéines et en vitamines, lui permet de fortifier le tissu conjonctif. Sa richesse en calcium et en substances minérales (cuivre, cobalt, manganèse, zinc, fer) en fait un défatigant de premier ordre.

BAIN
TONIFIANT

Si vous vous sentez un peu fatiguée, une poignée de gros sel dans votre bain constitue un excellent tonique. Vous en sortirez toute revigorée.

Ou bien mettez une bonne poignée de menthe et une bonne poignée de romarin dans 1 litre d'eau. Couvrez et portez l'ensemble lentement à ébullition. Laissez bouillir environ 15 minutes à feu doux. Retirez la préparation du feu, filtrez et ajoutez à l'eau de votre bain. Ce bain étant très stimulant, ne le prenez pas avant de vous coucher, mais plutôt avant de sortir.

La menthe douce *(Mentha spicata)*, plante de la famille des Ombellifères, apprécie les bords de rivières, les lieux humides, les marécages et les régions montagneuses. Elle pousse dans les prairies d'Europe et d'Amérique du Nord. Cultivée depuis des temps anciens, on retrouve sa trace dans les tombeaux égyptiens des XIIIe et VIIe siècles avant J.-C.
Sa propriété anti-asthénique provient de son huile essentielle riche en alcool terpénique, le menthol, accompagné de sa cétone correspondante, la menthone. Le menthol stimule également la sensation de froid.

Le romarin *(Rosmarinus officinalis)*, plante de la famille des Labiées, se rencontre dans tout le Bassin méditerranéen, essentiellement dans les maquis et les garrigues. Grecs et Romains tenaient cette plante en haute estime, moins pour ses propriétés médicinales que pour sa valeur symbolique et religieuse. Les gladiateurs en consommaient pour améliorer leur tonus avant d'aller au combat. On commença à l'utiliser en cosmétique au XVIᵉ siècle.

Son huile essentielle, à l'odeur fortement camphrée due à sa composition (pinène, camphène, cinéol, bornéol, camphre), est douée de propriétés toniques, stimulantes sur le cœur et la circulation sanguine, légèrement antidépressives, voire… aphrodisiaques selon certains.

Le gros sel, ainsi appelé parce qu'il est composé de gros cristaux, contient nombre d'éléments catalyseurs, comme le cuivre, l'or, le nickel, le cobalt, ainsi que du chlorure de sodium, du magnésium et de l'iode. Tous ces éléments lui confèrent un rôle biologique de modificateur du terrain et de stimulation de l'organisme.

BAIN RELAXANT

Pour se détendre, ma grand-mère prenait des bains de lavande. Elle cueillait un bouquet de lavande fraîche dans le jardin et parsemait son bain des fleurs avec leurs tiges. Ça sentait délicieusement bon… Vous pouvez également utiliser de la lavande séchée. Dans ce cas, pensez à la mettre dans des petits sachets pour ne pas risquer de boucher votre tuyauterie !

Mettez 1 kilo de son de blé dans un collant usagé coupé en haut de la jambe et faites un nœud. Faites bouillir 1 litre de lait. Versez le tout dans la baignoire, ajoutez quelques gouttes d'huile essentielle de néroli, et vous ne serez pas loin du bain de Cléopâtre ! Vous en ressortirez relaxée et avec la peau extrêmement douce.

Vous pouvez aussi ajouter 10 gouttes de néroli et 5 gouttes d'huile essentielle de camomille à 20 cl de bain moussant pour bébé. Versez sous l'eau chaude quand votre bain coule. Vous obtiendrez un délicieux bain moussant et décontractant.

***

La lavande vraie *(Lavandula vera)*, plante de la famille des Labiées, est essentiellement cultivée en Provence, souvent à flanc de colline. Lors de sa floraison, elle dégage un parfum prononcé, suave et pénétrant. Au XVIIe siècle, la lavande était déjà utilisée dans les bains pour son action calmante. Ses fleurs ont une action tranquillisante et sédative sur le système nerveux grâce à une huile essentielle constituée de divers composés terpéniques (linalol, géraniol, cinéol et pinène). Sur la peau, cette huile essentielle possède des activités antiseptiques, adoucissantes et anti-asthéniques.

Le son de blé possède des propriétés relaxantes (détente des muscles et des membres fatigués), détoxiquantes (élimination des toxines musculaires) et reconstituantes (stimulation et régénération cutanée).

Le néroli est une huile essentielle obtenue par distillation des fleurs de l'oranger amer ou bigaradier. Ce petit arbre de la famille des Rutacées, originaire du nord de l'Inde, est cultivé dans la région méditerranéenne (Espagne du Sud, Sicile, Côte d'Azur).
Le néroli doit son action sédative sur le système nerveux central, connue depuis les temps les plus anciens, à son huile essentielle riche en terpénoïdes.

On trouvait autrefois **la camomille « romaine »** *(Anthenis nobilis)*, plante de la famille des Composées, dans les régions méridionales et orientales de l'Europe, ainsi qu'au Proche-Orient. Elle pousse aujourd'hui dans les prairies et les champs de nombreuses régions du globe.

Son huile essentielle composée de terpénoïdes, d'alcaloïdes tropaniques et d'esters d'acide tiglique possède des propriétés adoucissantes, sédatives, antispasmodiques et légèrement hypnotiques.

BAIN SÉDATIF

Jetez 500 g de fleurs de tilleul dans 1 litre d'eau bouillante. Laissez infuser 10 minutes. Passez la solution obtenue et versez-la dans votre bain. Plongez-vous avec délice dans cette eau parfumée et prenez le temps de vous détendre. Ce bain est aussi excellent pour les enfants nerveux. À prendre ou à donner avant le coucher.

Le tilleul *(Tilia cordata)*, plante de la famille des Tiliacées, se trouve à l'état sauvage dans les forêts d'Europe et en Asie Mineure. On le cultive en Amérique du Nord. Sa longévité multiséculaire est légendaire.

Par leur mucilage, les fleurs de tilleul sont émollientes, adoucissantes et sédatives. Leurs propriétés sont dues à une huile essentielle contenant un alcool sesquiterpénique, le farsénol.

BAIN DÉTOXIQUANT

Lorsque ma grand-mère se sentait patraque, elle commençait par mettre 2 kg de sel marin dans un bain très chaud dans lequel elle restait une vingtaine de minutes. Puis elle se séchait énergiquement, sans craindre de frotter fort. Elle enfilait ensuite une robe de chambre très chaude et se glissait sous son édredon pour transpirer abondamment. « J'élimine ! » disait-elle. Ensuite, elle se découvrait, se séchait et se recouchait pour dormir comme un bébé.

Le chlorure de sodium, nom savant du **sel**, existe dans la nature sous forme de roche (sel gemme) ou en dissolution dans la mer. Il contient des éléments catalyseurs comme l'or, le cuivre, le nickel et le cobalt dont le rôle biologique est très important comme modificateur du terrain.
Le chlorure de sodium agit notamment sur la faculté qu'ont les liquides de l'organisme à traverser les membranes, surtout celles des voies circulatoires (phénomène d'osmose). Pour comprendre la détoxication que peut provoquer le sel dans un bain, il faut tout simplement savoir qu'une quantité importante de sel dans les tissus peut former un œdème par suite d'une lésion empêchant son élimination. Le sel va donc attirer à lui certaines grosses molécules qui intoxiquent l'organisme.

BAIN AMINCISSANT

Faites une infusion forte d'une poignée de chacune de ces plantes : fucus vésiculeux, pissenlit, prêle des champs et camomille, dans 2 litres d'eau. Laissez refroidir, filtrez et ajoutez à l'eau de votre bain. Associez ce traitement à un petit régime.

Le fucus vésiculeux *(Fucus vesiculosus)*, plante de la famille des Algues, est très commun sur le littoral atlantique, de la Manche jusqu'au golfe de Guinée. En France il abonde sur les côtes bretonnes, constituant la majeure partie du varech rejeté par la mer. Cette algue dégage une odeur marine désagréable et a une saveur écœurante.
On sait depuis le XIXᵉ siècle qu'une décoction de fucus favorise « la résorption des tissus graisseux ». Il est reconnu pour ses propriétés laxatives, amaigrissantes grâce à sa forte teneur en iode, et amincissantes grâce à son acide alginique et ses composés phénoliques.

La camomille vraie *(Matricaria chamomilla)*, plante de la famille des Composées, est très répandue en Europe et en Asie septentrionale (champs, jardins et talus). Traditionnellement surnommée la « camomille des champs », il s'agit d'une des plantes médicinales les plus populaires.
Elle possède des propriétés antispasmodiques, digestives et cholérétiques grâce à ses flavonoïdes, son principe amer (nobiline) et la composition de son huile essentielle.

Le pissenlit *(Taraxacum dens leonis)* est une plante de la famille des Composées commune en Europe et dans les régions tempérées du globe. Connu dès le XVIe siècle pour ses propriétés diurétiques et cholérétiques, il était aussi traditionnellement utilisé en lotion comme dépuratif de la peau.

La racine et la feuille de pissenlit stimulent les fonctions hépatiques, favorisent l'élimination de la bile, régularisent le transit intestinal et facilitent les fonctions d'élimination de l'organisme, notamment l'élimination rénale de l'eau. Toutes ces propriétés proviennent de sa richesse en stérols, alcools triterpéniques et flavonoïdes.

La prêle des champs *(Equisetum arvense)*, plante de la famille des Équisetacées, affectionne les lieux humides et ombragés de toute l'Europe. Elle a toujours été considérée comme une plante aux vertus médicinales exceptionnelles, notamment chez les Romains.

Elle possède une activité diurétique grâce à ses sels de potassium, et améliore les fonctions d'élimination de l'organisme ainsi que la digestion, grâce à ses flavonoïdes, ses tanins et ses acides-phénols.

BAIN DE JOUVENCE

Pour conserver la fraîcheur de sa jeunesse, Ninon de Lenclos, figure libertine du Grand Siècle, faisait la préparation suivante : après avoir dissous cinq poignées de gros sel (de Guérande ou de Ré) dans l'eau de son bain, elle faisait fondre une tasse de miel dans 1 litre de lait chaud puis l'ajoutait à son bain.

La célèbre dame possédait un autre secret : elle mettait à bouillir, à petits bouillons et à couvert, dans 2 litres d'eau pendant 1/2 heure, une poignée de chacun des ingrédients suivants : fleurs de violette, feuilles de rose, feuilles de sauge, de thym, de romarin et d'hysope. Elle y ajoutait une poignée de gros sel de cuisine et un verre de vinaigre de vin. Elle passait le tout et versait la préparation dans son bain où elle restait 1/2 heure.

Ce bain était censé lui redonner jeunesse, vigueur, fraîcheur et santé.

Le sel ou chlorure de sodium existe à l'état de dissolution dans la mer.

Il joue un rôle biologique de modificateur de terrain grâce aux éléments catalyseurs qu'il contient : or, cuivre, nickel, cobalt…

La violette *(Viola odorata)*, plante de la famille des Violacées, pousse communément dans les sous-bois, les haies et les pelouses de tout l'hémisphère Nord.

Connue des Anciens pour ses qualités thérapeutiques, elle possède des vertus adoucissantes et émollientes grâce à ses anthocyanosides et à ses mucilages.

La rose de France *(Rosa gallica)*, plante de la famille des Rosacées, renferme dans ses feuilles une forte teneur en tanins et en dérivés phénoliques. Ces composés lui confèrent des propriétés astringentes, adoucissantes et tonifiantes.

Le thym *(Thymus vulgaris)*, plante de la famille des Labiées, est originaire du Bassin méditerranéen.

Connues depuis la haute antiquité pour leur puissante odeur aromatique, les feuilles de thym possèdent des propriétés régénérantes et tonifiantes grâce à leur huile essentielle riche en flavonoïdes et en phénols.

L'hysope *(Hysopus officinalis)*, plante de la famille des Lamiacées, pousse à l'état spontané sur les coteaux calcaires arides de l'Europe, de l'Asie Mineure et de l'Afrique du Nord. Elle se trouve mentionnée dans plusieurs passages de l'Ancien Testament.

Grâce à ses phénols, ses tanins et ses flavonoïdes, elle possède des vertus adoucissantes, astringentes et régénérantes. Son huile essentielle riche en cétone procure au corps une activité tonifiante.

SAVON PERSONNALISÉ

Si vous avez la peau fragile, vous pouvez faire votre propre savon en procédant ainsi : mettez dans un bol 100 g de poudre d'amande. Couvrez d'eau chaude. Mélangez bien. Ajoutez 10 g de poudre d'iris de Florence (ou à défaut 10 g d'amidon) et 10 g de savon de Marseille en poudre (ou en copeaux). Parfumez d'extrait de lavande ou de romarin. Cousez le tout grossièrement dans un gant de toilette en éponge. Ce savon doux préservera la fragilité de votre peau. Pour personnifier votre savon, remplacez l'extrait de lavande ou de romarin par quelques gouttes de votre parfum préféré.

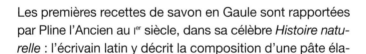

Les premières recettes de savon en Gaule sont rapportées par Pline l'Ancien au Iᵉʳ siècle, dans sa célèbre *Histoire naturelle* : l'écrivain latin y décrit la composition d'une pâte élaborée à partir de cendres de hêtre et de suif de chèvre, dont nos ancêtres se servaient pour teindre leurs cheveux en roux. Cette préparation s'est transmise pendant des générations, le savon servant à la fois d'onguent, de cosmétique et de remède. Plus tardive, son utilisation pour le lavage du linge remonte au Moyen Âge. Quant au véritable savon de Marseille, il doit sa notoriété internationale à sa grande pureté (72 à 80 % de savon pur) et à plusieurs décrets de Napoléon Ier stipulant que la marque devait avoir une forme particulière, un certain type de matières grasses mis en œuvre et un label gravé en creux.

L'iris de Florence *(Iris florentina)*, plante de la famille des Iridacées, est originaire de Macédoine. Il se cultive actuellement dans le monde entier et de manière industrielle en Toscane, au Maroc et en France. Son nom d'espèce, *Florentina*, lui vient de la ville de Florence, où étaient situés les premiers jardins d'iris. C'est d'ailleurs dans cette ville que son usage en parfumerie aurait été découvert, grâce à l'odeur de violette qui se dégage de la fleur après plusieurs mois de séchage, d'où son surnom de racine de violette. Ce parfum suave provient de son huile essentielle qui contient une cétone appelée irone.

Les savons qui servent à la désinfection des mains sont pour la plupart alcalins, autrement dit doté d'un pH (potentiel d'hydrogène) supérieur à 7. Malheureusement, cette alcalinité fait perdre à la peau une partie des corps gras qui la protègent, et son acidité diminue. Il en résulte une irritation pouvant entraîner des manifestations dermiques.
L'intérêt de le fabriquer à l'aide d'une poudre d'amande est d'obtenir un pH en dessous de 7, donc d'avoir la propriété d'acidité. Cette préparation, qui permet à l'épiderme de conserver un pH acide, est très bien supportée et évite une prolifération microbienne.

GOMMAGE

Le gommage consiste en un nettoyage de la peau grâce à un produit destiné à éliminer les cellules superficielles mortes et les impuretés pour en atténuer les défauts.

Ma grand-mère remplissait des petits sachets en toile fine de farine d'avoine, le soir à la veillée. Lorsqu'elle prenait son bain, elle se frottait tout le corps avec les sachets mouillés. En sortant du bain, son corps était lisse et doux.
Vous pouvez faire sécher les sachets pour les réutiliser une ou deux fois (si vous avez moins de temps que ma grand-mère pour coudre des sachets, coupez un collant filé à hauteur du genou, remplissez-le et nouez-le).

Avant votre douche, mélangez 8 cuillerées à soupe de farine d'avoine et 2 cuillerées à café de sel marin à 2 cuillerées à soupe de lait. Pétrissez jusqu'à obtenir une pâte humide au toucher. Frictionnez-vous avec cette pâte en commençant par le bas du corps et en remontant vers le cœur.
Vous pouvez également en faire des compresses, pour une décongestion et une dilatation des pores de la peau, ce qui chassera les dernières impuretés.

Mélangez trois citrons coupés en rondelles à 1/2 litre de vinaigre de pomme (ou de cidre). Versez le tout dans l'eau du bain. Vous obtiendrez un bon nettoyage de peau et de plus une action astringente sur tout le corps. N'oubliez pas de vous enduire de crème en sortant du bain.

Si vous n'avez aucun gommage sous la main, faites la préparation suivante dans un yaourt nature au lait entier : quelques brins de menthe poivrée fraîche, quelques brins de menthe verte fraîche, 1 goutte d'essence de menthe poivrée et 3 cuillerées à soupe de sel marin. Mélangez bien tous ces ingrédients et laissez reposer une nuit dans votre réfrigérateur. Le lendemain matin, frictionnez-vous sous la douche avec ce mélange en insistant sur les parties rugueuses de votre corps.

———

L'avoine *(Avena sativa)*, plante de la famille des Graminées, est avant tout une graine alimentaire de premier ordre, riche en calcium et autres substances minérales (cuivre, cobalt, manganèse, zinc et fer).
Ses principes actifs (avenine et amidon) permettent plusieurs actions sur la peau : adoucissante, régénérante, émolliente et tonifiante.

Le vinaigre de cidre est un liquide acide fabriqué suite à une fermentation acétique. Sa propriété pour éliminer les cellules superficielles est due à sa composition en enzymes spécifiques et en phénols.

Le citronnier *(Citrus limonum)*, arbuste de la famille des Rutacées, possède un fruit, **le citron**, dont les propriétés détergentes et exfoliantes viennent de ses dérivés hydroxylés et de son huile essentielle.

La menthe poivrée *(Mentha piperita)*, plante de la famille des Labiées se cultive en Europe et aux États-Unis. Ses propriétés exfoliantes sont dues à son huile essentielle riche en menthol et à ses flavonoïdes.

HUILE
DE MASSAGE

Faites d'abord une bonne friction au gant de crin de tout votre corps. Puis mélangez 10 cl d'huile de paraffine, 10 gouttes d'huile essentielle de cyprès, 10 gouttes d'huile essentielle de sarriette et 5 gouttes d'huile essentielle de genévrier. Faites pénétrer l'huile en massant toutes les parties de votre corps.

L'huile de paraffine (ou huile de vaseline, ou paraffine liquide) provient de la distillation de certains pétroles du Caucase ou d'Amérique. Cette huile est un liquide incolore et visqueux qui sert de base à cette préparation.

Le cyprès *(Cupressus sempervirens)*, plante de la famille des Conifères, est un arbre fréquemment planté dans les jardins et dans les cimetières du midi de la France. Il est originaire d'Europe orientale et d'Asie occidentale. Grâce à ses tanins, son huile essentielle possède la propriété d'être vaso-constrictrice et astringente sur la peau.

La sarriette *(Stureia hortensis)*, plante de la famille des Labiées, est un sous-arbrisseau dont l'odeur rappelle celle du thym. Son huile essentielle très aromatique, riche en polyphénols (thymol et carvacrol), possède une action antioxydante, antiseptique, purifiante et tonifiante.

Le genévrier *(Juniperus communis)*, plante de la famille des Conifères, est un arbrisseau buissonnant commun en Europe. Il aime les terrains ensoleillés et peut se développer jusqu'à une altitude de 2 000 mètres.

L'huile essentielle des baies et de l'écorce de genévrier contient des dérivés terpéniques, des flavonoïdes, un principe amer (juniperine) et une résine qui lui confèrent des propriétés rubéfiantes, astringentes, purifiantes et tonifiantes.

STIMULATION DE LA CIRCULATION SANGUINE

Ma grand-mère mettait un bouquet de menthe (fraîche ou séchée) dans son bain pour, disait-elle, se rafraîchir et activer sa circulation. Elle enfermait les feuilles dans des sachets de toile fine ou de mousseline cousue (pour plus de facilité, vous pouvez utiliser un vieux collant filé, coupé au mollet et noué).

Pour stimuler la circulation et traiter les rougeurs de la peau souvent dues à une mauvaise circulation sanguine, faites une décoction avec 1 cuillerée à soupe de raifort pour une tasse de lait puis appliquez sur le corps.

Si vous êtes courageuse, mélangez une tasse de gros sel marin, 2 cuillerées à soupe d'huile d'amande douce et 2 gouttes d'huile essentielle de géranium. Frictionnez-vous le corps avec cette préparation, rincez-vous à l'eau chaude et enroulez-vous une dizaine de minutes dans une serviette épaisse. Vous activerez l'ensemble de la circulation de votre corps.

———

La menthe verte *(Mentha viridis)*, plante de la famille des Labiées, est répandue dans les régions tempérées et septentrionales d'Europe, d'Asie et d'Amérique. Son nom de *mentha* dérive du mot *Mintha*, nom grec d'une nymphe que Perséphone, fille de Zeus et de Demeter, transforma en plante par jalousie.
Les Anciens l'utilisaient autant lors de leurs cérémonies que pour ses qualités thérapeutiques. Hippocrate vantait ses vertus aphrodisiaques et Pline l'Ancien reconnaissait son action analgésique.
Grâce à ses nombreux composants parmi lesquels les flavonoïdes, les tanins et les caroténoïdes, la menthe active la circulation sanguine.

Originaire des pays slaves, **le raifort** *(Armoracia rusticana)* se rencontre à l'état spontané dans les endroits frais et ombragés, sur les terrains humides et le long du littoral. La culture de cette grande plante vivace, qu'il ne faut pas confondre avec le radis noir parfois nommé « raifort des Parisiens », a gagné l'Europe occidentale au Moyen Âge et la France vraisemblablement au XVIe siècle. Sa racine s'employait comme traitement antiscorbutique et diurétique à l'époque médiévale.
Le raifort contient des glucosinolates (en particulier la sinigroside, substance qui active la circulation), des vitamines (C en particulier), une enzyme, la myrosinase, et des acides aminés.

PEAU GRASSE

Mettez un citron découpé en rondelles dans 1 litre d'eau bouillante. Laissez infuser longuement (20 minutes ou plus). Au moment de votre bain, versez la préparation dans l'eau en rajoutant quelques rondelles fraîches de citron.

Mélangez 1/4 de litre de vinaigre de cidre au jus de quelques citrons et pamplemousses, et versez le tout dans l'eau de votre bain. Excellent pour les peaux grasses, ce bain est de plus revitalisant et adoucissant.

Le citron est réputé depuis la nuit des temps pour son usage externe comme désinfectant et stimulant de la micro-circulation. Le citronnier *(Citrus limonum)*, arbuste de la famille des Rutacées, était déjà cultivé en Chine il y a 3 000 ans.
Ses propriétés détergentes sont dues à son huile essentielle composée de coumarines simples.

Le vinaigre de cidre se fabrique grâce à une fermentation acétique du cidre.
Sa composition en acides essentiels et en phénols lui confère des propriétés anti-inflammatoires.

Le pamplemousse *(Citrus paradisi)*, plante de la famille des Rutacées, est originaire d'Asie. En 1665, Le Carpentier le désigne sous le nom de pamplemousse, contraction du néerlandais *pompel* (épais, gros) et *limoes* (citron).
Ses propriétés adoucissantes et exfoliantes proviennent de la fraction hydrosoluble de ses molécules.

DÉMANGEAISONS

Le prurit est une démangeaison de la peau en rapport avec une affection cutanée : eczéma, urticaire, dartre, mycose, piqûres d'insectes, parasites…

———

Quelquefois, comme disait ma grand-mère, « ça vous gratte de partout ». Prenez alors un bain avec 225 g de bicarbonate de soude et 225 g d'amidon. Vous aurez un joli bain tout blanc qui apaisera toutes les démangeaisons et les petits bobos.

Autrement, faites bouillir l'équivalent d'un verre d'eau, jetez-y une pincée de graines de fenouil, laissez infuser 10 minutes. Faites une pâte en mélangeant à 1 cuillerée à soupe de miel. Frottez les endroits où votre peau est irritée. Cette préparation calme très rapidement les irritations de la peau.

Si vous n'avez rien d'autre, ajoutez un verre de vinaigre à l'eau chaude de votre bain.

———

Le bicarbonate de soude est un sel résultant de la combinaison d'un acide carbonique avec une base qui a la propriété de dissoudre les matières grasses de la peau.

L'amidon, connu depuis l'Antiquité, est une poudre blanche formée de grains discoïdes qui, délayés dans l'eau, donnent un mélange trouble et opaque. On le retire en général de la pomme de terre et de graines de céréales comme le blé, l'orge, le seigle, le maïs…
Sa principale propriété est d'être émollient, de relâcher les tissus et d'en atténuer l'inflammation, d'être adoucissant pour lutter contre l'irritation cutanée.

Le fenouil *(Foeniculum vulgare)*, plante de la famille des Ombellifères, se trouve sur les coteaux calcaires du Midi, ainsi qu'en Europe centrale et méridionale, en Afrique du Nord et en Asie occidentale.

Il est originaire de Syrie. Son nom latin *foeniculum* vient de *funum* qui signifie « foin », car les feuilles du fenouil sont divisées tellement finement qu'elles évoquent le foin.

La composition de son huile essentielle riche en anéthol lui confère des propriétés adoucissantes, antiseptiques et purifiantes.

Le miel, quant à lui, est un antiseptique très puissant grâce à son acide formique. Il est reconnu depuis des siècles pour avoir également des propriétés calmantes.

De par ses substances spécifiques, **le vinaigre** agit sur la peau en diminuant l'irritation cutanée grâce au phénomène de changement du milieu alcalin en milieu légèrement acide.

Les démangeaisons peuvent être causées par des affections externes de l'épiderme déjà citées, mais également par des affections internes provenant d'une pathologie de l'organisme : allergies alimentaires, allergies médicamenteuses, parasitose intestinale, foyer infectieux, problèmes hépatiques…

Si les démangeaisons persistent, il est fortement conseillé d'aller consulter un spécialiste.

IRRITATION
DE LA PEAU

On parle d'irritation de la peau quand il existe un phénomène inflammatoire dû à l'action d'un agent physique ou chimique. En général, cette irritation peut être minime ou entraîner des phénomènes de démangeaisons ou de douleur plus ou moins agaçantes.

———————

Pour atténuer les irritations de votre peau, faites la préparation suivante : 2 cuillerées à soupe d'huile d'origan (marjolaine) et 1 cuillerée à soupe de miel d'acacia. Mélangez bien les deux produits, étalez sur les zones irritées et massez lentement. Laissez à l'air libre si possible pendant une dizaine de minutes.

Faites ce massage deux fois par jour jusqu'à disparition de l'irritation.

———————

L'origan *(Origanum vulgare)*, plante de la famille des Labiées, se trouve en abondance dans tous les terrains secs ou ensoleillés d'Europe tempérée et d'Asie. Ses fleurs fournissent aux abeilles un nectar abondant et parfumé.

L'huile d'origan obtenue par macération de la plante possède des propriétés adoucissantes et antiseptiques grâce à sa composition en acides-phénols et en flavonoïdes.

Le miel d'acacia contient de l'acide formique qui s'avère être un antiseptique très puissant.

BAUME CONTRE LES DOULEURS

Avoir mal partout nuit considérablement à la beauté. Votre visage est tendu et crispé. Votre corps a du mal à se tenir droit. Réagissez ! Prenez un bon bain relaxant, puis frictionnez-vous énergiquement avec 10 cl d'alcool camphré additionnés de 2 cl d'huile essentielle de girofle. Vous vous sentirez beaucoup moins percluse !

L'alcool camphré en solution contient 10 cl de camphre pour 1 litre d'alcool. Utilisé comme produit externe, il a la propriété d'être antiseptique et résolutif.
Le camphrier du Japon ou laurier, plante de la famille des Lauracées, se trouve à l'état spontané dans les régions méditerranéennes, ainsi qu'en Asie du Nord, en Syrie et en Afrique du Nord.
Son huile essentielle a des propriétés analgésiques, anti-rhumatismales et astringentes.

Le giroflier *(Eugenia caryophyllus)*, plante de la famille des Myrtacées, est un arbre originaire des îles Moluques (archipel indonésien) qui peut atteindre 20 mètres de haut et qui aime la proximité de la mer. À partir du XVIIe siècle, sa culture s'est développée à Zanzibar, à Madagascar, à la Réunion et aux Antilles.
L'huile essentielle de girofle, riche en eugénol, possède un puissant effet anti-inflammatoire et donc antalgique.

VERRUES

La verrue est une excroissance ferme, rugueuse et bien circonscrite qui apparaît à la surface de la peau.
Les verrues dites « vulgaires » siègent surtout sur les mains, les doigts, autour des ongles et au niveau de la plante des pieds chez les enfants.
Les verrues dites « séborrhéiques » apparaissent sur le dos et le tronc, plus fréquemment chez les adultes.

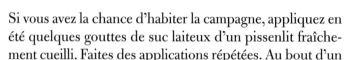

Si vous avez la chance d'habiter la campagne, appliquez en été quelques gouttes de suc laiteux d'un pissenlit fraîchement cueilli. Faites des applications répétées. Au bout d'un moment, les verrues noircissent et tombent.

Sinon, frottez la verrue avec un oignon cru trempé dans du sel. Vous devriez retrouver rapidement de jolies mains lisses.

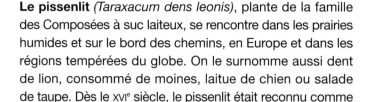

Le pissenlit *(Taraxacum dens leonis)*, plante de la famille des Composées à suc laiteux, se rencontre dans les prairies humides et sur le bord des chemins, en Europe et dans les régions tempérées du globe. On le surnomme aussi dent de lion, consommé de moines, laitue de chien ou salade de taupe. Dès le XVIᵉ siècle, le pissenlit était reconnu comme plante à visée diurétique, cholagogue et cholérétique.
Sa propriété verrucide serait due à sa composition en flavonoïdes (apigénol et lutéolol), en alcools triterpéniques et en stérols. Son principe amer le plus actif est la lactucopicrine.

L'oignon *(Allium cepa)*, plante de la famille des Liliacées, est cultivé partout dans le monde.

Ses propriétés verrucides proviennent de sa composition en enzymes (oxydases et diastases) capables de dissoudre certaines substances en contact avec elles. En outre, son essence, les sels qu'il contient ainsi que ses composés organiques possèdent la propriété de relâcher et de ramollir les tissus, ce qui facilite la disparition des verrues.

TRANSPIRATION DES AISSELLES

Les aisselles sont recouvertes par une peau mince contenant une grande quantité de glandes sébacées et sudorifiques, qui sécrètent une sueur alcaline d'une odeur particulière, différente selon les individus.

La sueur est une production normale de la peau qui permet de chasser l'eau excédentaire du corps. Le mécanisme fait appel à plusieurs réactions : la chaleur de la surface cutanée entraîne une augmentation de la circulation locale d'eau contenue à l'intérieur des vaisseaux, qui passe à travers les parois capillaires peu à peu. Par la suite, cette eau est captée par les glandes sudorales et évacuée à l'extérieur par évaporation.

La transpiration exagérée des aisselles entraîne certains inconvénients : taches sur les vêtements, suintement gênant sur les côtés, apparition de molécules malodorantes quand se produit une pullulation de microbes…

Pour éviter cet inconfort parfois très gênant, réduisez en poudre dans un mortier des feuilles de sauge séchées. Mélangez le produit obtenu avec 1 cuillerée à soupe de talc et appliquez-le sur les aisselles.

———

La sauge *(Salvia officinalis)*, plante de la famille des Labiées, est un sous-arbrisseau originaire du Moyen-Orient. Elle se trouve à l'état spontané dans les régions méditerranéennes, où elle affectionne les coteaux et les rocailles. La sauge était considérée dans l'Antiquité comme une plante aux vertus médicinales exceptionnelles, d'où son nom latin *salvia*, qui vient de *salvare*, sauver par la guérison. « Le désir de la sauge est de rendre l'homme immortel », peut-on lire d'ailleurs dans certains traités médicaux anciens.
Ses feuilles permettent d'éliminer la transpiration grâce à leur composition en huiles essentielles qui paralysent les terminaisons nerveuses des glandes sudoripares. Cette essence est riche en une cétone terpénique, la thuyone. Son arôme très caractéristique lui confère également des propriétés déodorantes.

TRANSPIRATION DES PIEDS

La transpiration des pieds est un phénomène très désagréable causé par une sécrétion trop abondante d'un liquide acidulé, la sueur, excrété par les glandes sudoripares de la peau et qui s'écoule par les pores.

L'odeur plus ou moins forte et plus ou moins gênante que cette transpiration donne aux pieds est très difficile à juguler.

———

Prenez 1 kilo d'aiguilles de pin et jetez-les dans 4 litres d'eau froide. Couvrez et portez lentement à ébullition. Laissez bouillir 15 minutes. Retirez du feu, laissez tiédir et prenez un bain de pied dans la préparation de préférence le soir au coucher. Renouvelez l'opération tous les jours si nécessaire.

Vous pourrez également mettre des aiguilles de pin dans vos tennis pour les désodoriser, ou introduire un bouquet de feuilles de sauge dans vos chaussettes pendant la nuit, pour avoir moins de problèmes de transpiration le lendemain.

Prenez tous les jours un bain de pieds additionné d'alcool de lavande et d'une poignée de sel marin.

Ou plus simplement baignez vos pieds dans deux volumes d'eau chaude pour un volume de vinaigre. Ajoutez une poignée de gros sel.

———

Le pin maritime *(Pinus pinaster)*, arbre de la famille des Conifères, croît dans les terrains siliceux de l'Europe méridionale. On le trouve surtout en France, dans les Landes en particulier, et en Algérie.
Le pin sylvestre *(Pinus sylvestris)*, espèce de la même famille, est très répandu dans toute l'Europe et le nord de l'Asie. Il affectionne les terrains humides et se trouve dans les bois, les forêts et les régions montagneuses.
L'huile essentielle de ces deux variétés de pin a comme principale propriété d'être déodorante grâce à sa composition en terpénoïdes.

La sauge *(Salvia officinalis)*, plante de la famille des Labiées, est originaire du Moyen-Orient. Il s'agit d'un sous-arbrisseau qui affectionne les lieux secs et arides de la région méditerranéenne de l'Europe.

Ses feuilles permettent d'éliminer la sueur grâce à son huile essentielle composée d'acides organiques, de terpénoïdes et de thymol. Cette dernière paralyse les terminaisons nerveuses des glandes sudoripares.

Le sel (chlorure de sodium), de par sa nature, attire à lui certaines molécules et les neutralise grâce à une réaction physico-chimique.

Le vinaigre, transformation du vin grâce à une fermentation acétique, possède des propriétés antiseptiques et déodorantes dues à sa composition en phénols et en acides essentiels.

ÉPILATION DES JAMBES

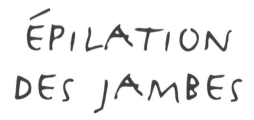

Pratiquée par les femmes depuis les temps les plus anciens, l'épilation a pour principe de base de détruire les cellules à l'origine de la croissance et de la reproduction du poil.

De nombreux modes d'épilation furent pratiqués jusqu'à nos jours : l'épilation au fil, au miel, au sucre caramélisé, à la pince, l'épilation avec des substances chimiques détruisant le poil, l'épilation par ondes de hautes fréquences, l'épilation progressivement définitive et l'épilation défi-

nitive par électrocoagulation (suppression du poil par destruction du bulbe).

À l'heure actuelle, trois méthodes sont privilégiées pour une épilation définitive :

– la méthode photothermique utilisant le laser dont la longueur d'onde est absorbée par la mélanine ;

– la méthode photothermomécanique utilisant des lasers QSY et QSR avec une solution à base de carbone ;

– la méthode photochimiothérapique utilisant une crème à base d'acide delta-aminolevulinique, suivie d'une irradiation d'un laser argon.

———————

Quelquefois, nous pensions que notre grand-mère nous préparait un bon dessert. Nous étions vite déçus ! Elle préparait son épilation. Elle mettait 4 cuillerées à soupe de sucre en poudre pour 2 cuillerées à soupe d'eau et 1 cuillerée à soupe de jus de citron filtré. Elle portait à ébullition sur feu très doux. Le premier bouillon devait avoir une consistance épaisse en tombant de la cuillère en bois. La couleur devait rester claire. Elle retirait alors du feu, versait sur une surface lisse (un marbre si vous en avez) et laissait refroidir quelques minutes. Puis elle étalait le mélange sur ses jambes dans le sens du poil à l'aide d'une spatule. Elle laissait agir quelques minutes et retirait à contresens du poil.

S'épiler au moment de la lune descendante garantit une repousse moins rapide.

———————

La Lune est l'astre le plus proche de la Terre. Elle est croissante de la nouvelle lune à la pleine lune. Cette période appelée « jeune lune » ou « lune nouvelle » marque l'ascension et le renouveau. Elle est décroissante de la pleine lune à la nouvelle lune. Cette période dénommée lune décroissante ou « vieille lune » désigne sa période de déclin.

On pense que le système pileux est mieux « irrigué » en période de lune croissante. Par contre, en lune descendante ou décroissante, la vascularisation se ferait moins bien, d'où la constatation de l'effet de cette période lunaire sur la repousse des poils.

PRÉVENTION CONTRE LES COUPS DE SOLEIL

Pendant la cueillette des fruits, ma grand-mère se fabriquait un masque à base de crème de lait additionnée d'un jus de citron. C'était une recette réputée pour éviter les coups de soleil, ce qui était très mal vu à l'époque. Bien entendu, on ne disposait pas alors des crèmes solaires d'aujourd'hui et les peaux fragiles seront certainement mieux protégées par une crème avec un indice élevé.

La crème de lait se compose de matières grasses, de caséine, d'albumine, de sucre et d'eau.
Sa principale activité, le relâchement et la détente des tissus, permet une meilleure pénétration du citron dans les pores de la peau.

Le citronnier (Citrus limonum), plante de la famille des Rutacées, est originaire d'Asie. Cultivé en Californie et dans les régions méditerranéennes, il donne un fruit dont la pulpe possède des propriétés des plus intéressantes.

Les flavonoïdes, appelés encore citroflavonoïdes, sont des facteurs vitaminiques P qui agissent sur la microcirculation et combattent la perméabilité des capillaires en augmentant leur résistance. Ils ont la propriété de prévenir les coups de soleil.

BRONZAGE AU THÉ

Savez-vous ce que font les costumières de théâtre pour atténuer l'éclat d'un vêtement blanc sur scène ? Elles le trempent dans le thé pour le teinter. Vous pouvez faire la même chose sur votre peau !

Faites bouillir 1/4 de litre d'eau et jetez-y 2 grandes cuillerées à soupe de thé de Chine ou de thé noir de préférence. Laissez infuser 15 minutes. Passez et versez dans une fiole. Laissez reposer 2 jours minimum, puis à l'aide d'un morceau de coton badigeonnez les parties du corps que vous souhaitez voir hâlées (bras, visage, jambes…). Vous aurez un « autobronzant » on ne peut plus naturel, et bon marché de surcroît. Le thé dépose une couche légèrement teintée sur la peau qui donne un effet de bonne mine et qui, bien entendu, s'efface à l'eau. Il ne s'agit pas de protection solaire. Renouvelez la préparation toutes les semaines si vous voulez garder ce bronzage naturel. Ne conservez pas cette potion plus de 7 jours pour des raisons d'hygiène.

Le thé *(Camellia sinensis)*, plante de la famille des Théacées, est couramment employé par la phytothérapie chinoise depuis plus de 3 000 ans.

Il contient des polyphénols en grande quantité (30 %) qui appartiennent au groupe des flavanols, couramment appelés tanins. L'essentiel de ces polyphénols est oxydé lors de la fermentation, d'où les traces brunâtres laissées dans la théière ou sur les dents des grands consommateurs de thé noir.

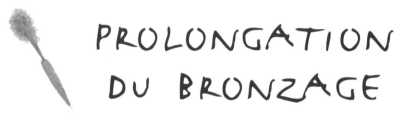

PROLONGATION DU BRONZAGE

Épluchez trois carottes de préférence bio. Passez-les à la centrifugeuse pour en extraire le jus.

Mettez au bain-marie 10 cl d'huile de germe de blé dans laquelle vous faites fondre 5 g de vaseline.

Une fois ce mélange devenu onctueux, retirez-le du feu, versez lentement le jus de carotte et remuez jusqu'à l'obtention d'un produit homogène. Versez alors ce mélange dans un récipient du genre pot de crème et laissez refroidir. Vous obtiendrez une crème qui vous permettra de prolonger votre bronzage.

Une application par jour suffira, de préférence le soir au coucher.

La carotte *(Daucus carotta)*, plante de la famille des Ombellifères, est cultivée dans toute l'Europe, en Amérique du Nord et en Asie centrale. Elle fait partie des plantes sauvages les plus connues de l'Ancien Monde. Sa culture s'est généralisée en France à partir de la Renaissance et surtout au début du XIXe siècle.

Son principe actif majeur est le bêta-carotène, appelé « provitamine A » car il se transforme en vitamine A dans le foie après oxygénation.

La carotte est adoucissante, tonifiante et nutritive. L'application de cette provitamine A sur les tissus du visage sous forme huileuse facilite une bonne pénétration, assure un rajeunissement de la peau et surtout favorise le bronzage.

L'huile de germe de blé est très riche en vitamine E et en bêta-carotène ou provitamine A qui a des pouvoirs tonifiants et régénérants sur la peau du visage.

La pommade à la **vaseline** provoque une action congestive par afflux de sang dans les microvaisseaux et permet de faire pénétrer profondément la substance active.

INFUSION MINCEUR

Dans 1 litre d'eau bouillante, jetez 1 cuillerée à café de chacune des plantes suivantes : pissenlit, romarin, fenouil, fucus vésiculeux. Laissez infuser 15 minutes, passez la solution et buvez-en une tasse en ayant pris soin d'y ajouter 1 à 2 cuillerées à café de miel car le goût en est très déplaisant. Absorbez cette préparation matin et soir, au lever et au coucher.

Ma grand-mère, qui avait tendance à prendre du poids avec l'âge, buvait avant chaque repas un verre d'eau froide avec le jus d'un demi-citron. « Cela coupe la faim », disait-elle.
Elle ne buvait jamais en mangeant.
Elle mangeait lentement et mastiquait à fond.
Elle ne se resservait jamais d'un plat et limitait les desserts.
Elle ne mélangeait jamais la viande et le fromage (cela double les calories).
Elle salait peu et privilégiait les grillades aux plats en sauce.
Elle privilégiait aussi les légumes (légèrement cuits) et les fruits. Elle avait exclu les fritures.
Elle disait néanmoins : « Il faut manger de tout, mais en petite quantité. »
Tout ceci ne l'empêchait pas de boire volontiers son petit coup de rouge lorsqu'il y avait des fêtes de famille et de faire honneur au repas.
Elle a toujours réussi à stabiliser son poids sans avoir recours à des poudres de perlimpinpin.
Ma grand-mère était pleine de bon sens.

Le pissenlit *(Taraxacum dens leonis)*, plante de la famille des Composées, est présent dans toutes les régions tempérées du globe. Connu pour ses vertus diurétiques, cholagogues et cholérétiques, il tire ses propriétés de sa richesse en stérols, alcools triterpéniques et flavonoïdes.

Le romarin *(Rosmarinus officinalis)* est une plante de la famille des Labiées, commune dans les régions méditerranéennes. Les Arabes des temps anciens s'en servaient pour ses vertus diurétiques et cholérétiques, dues à sa composition en flavonoïdes, en acides-phénols et en huile essentielle.

Le fenouil *(Foeniculum vulgare)*, plante de la famille des Ombellifères, est originaire de Syrie. Il pousse sur tous les coteaux calcaires du Midi ainsi qu'en Europe centrale, en

Afrique du Nord et en Asie occidentale. Sa propriété purifiante provient de son huile essentielle riche en anéthol.

Le fucus vésiculeux *(Fucus vesiculosus)*, plante de la famille des Algues, se trouve en abondance sur les côtes des mers froides ou tempérées (Manche ou Atlantique), accroché aux rochers.
Encore appelée varech vésiculeux, chêne marin, goémon ou laitue marine, cette plante possède une activité amaigrissante grâce à sa teneur en iode.

VENTRE PLAT

Votre ventre est un des symboles de votre féminité. Épicentre du système digestif et point crucial du système nerveux, il est un « sac à émotion ». Les maux de ventre représentent 70 % des consultations de spécialistes (gastro-entérologues).
Des études récentes prouvent que le système digestif envoie au cerveau neuf communications sur dix via le système nerveux intestinal, composé de 100 millions de neurones qui fabriquent plus de 20 neuro-médiateurs connectés en direct avec les neurones cérébraux. Résultat, au moindre problème digestif (repas trop riche en graisse, trop arrosé d'alcool, trop acide), le cerveau est perturbé. De même les angoisses, le stress, les chocs émotionnels peuvent agir sur le système digestif (le fameux ventre qui gonfle... sans raison apparente). Et au bout de quelques années ce « yo-yo » du ventre entraîne un tour de taille plus épais.

Si vous avez tendance à gonfler, prenez tous les soirs 4 pruneaux trempés dans de l'eau et un yaourt maigre avec 1 cuillerée à café de son. Le matin, au réveil et à jeun, buvez 1 cuillerée à café d'huile d'olive vierge suivie d'un grand verre d'eau fraîche. Avec quelques abdominaux simples (pédalage), vous retrouverez votre ventre de jeune fille.

Le prunier domestique *(Prunus domestica)*, plante de la famille des Rosacées, est originaire de Perse, du Caucase et des Balkans. Il fut introduit dans nos régions par les Grecs et les Romains. Au Ier siècle, les Latins connaissaient de nombreuses variétés de prunier. On sait que Charlemagne en fit planter dans ses domaines.

La prune, soumise à la dessiccation, développe certains principes qui constituent sa matière primitive. Les prunes séchées, ou pruneaux, sont considérées comme des laxatifs doux dans toutes les formes de paresse intestinale. La pulpe de la prune ramollit le bol fécal et excite les contractions de l'intestin grâce à l'abondance de ses matières cellulosiques. La prune est riche en vitamines B et C, en hydrates de carbone et en sucre.

Le blé *(Triticum sativum)* plante de la famille des Graminées, possède des principes actifs, des stérols, des vitamines (A, B, C, D, K) et des matières minérales.

Céréale cultivée dans le monde entier, le blé possède par ses constituants la propriété de désintoxiquer tout le système digestif.

L'huile d'olive vierge, classée dans la catégorie des huiles grasses, est obtenue à partir du fruit de l'olivier *(Olea europa)*, qui fait partie de la famille des Oléacées. Elle relâche et ramollit les tissus enflammés, augmente la sécrétion biliaire, et surtout purge légèrement l'ensemble de l'organisme grâce à sa teneur en oléines (80 %) et linoléine. L'huile permet donc un ramollissement du bol intestinal.

BEAUTÉ DES SEINS

Pour avoir de beaux seins, frictionnez-les chaque soir avec un mélange fait d'un tiers de rhum brun et de deux tiers de jus de citron. C'est une vieille recette créole, encore utilisée de nos jours.

Vous pouvez aussi appliquer des compresses d'oranges bien mûres cuites pendant 6 heures dans de l'huile de lin. Glissez les compresses dans votre soutien-gorge et gardez-les pendant 15 à 20 minutes. Ces applications contribuent à conserver aux seins leur fermeté et leur jeunesse.

Frictionnez vos seins avec l'une des lotions suivantes que vous aurez préparées :
150 g de roses de provins dans 1 litre d'eau distillée.
300 g de fleurs de verveine dans 1 litre de vinaigre.
Vous pourrez aussi utiliser des compresses d'infusion de graines de fenouil à raison de 40 g dans 1/2 litre d'eau bouillante. Filtrez avant d'appliquer.

Enfin, pour raffermir vos seins, appliquez matin et soir, en onctions légères, de la compote de pommes cuites dans du lait. Massez doucement. Rincez à l'eau douce.

Pour un effet immédiat, le résultat le plus spectaculaire reste cependant le massage des seins avec des glaçons, directement sur la peau, de manière à ce que la glace fonde lentement en quelques minutes.
Une douche froide matin et soir permettra également de les raffermir.

Le citronnier *(Citrus limonum)*, plante de la famille des Ruta-cées, se trouve à l'état spontané dans les forêts chaudes au pied de l'Himalaya indien, ainsi que dans les montagnes du nord de la péninsule indochinoise. Son fruit jouissait d'une grande réputation médicinale chez les anciens méde-cins latins, grecs et arabes.

Grâce à ses acides organiques (ascorbique, citrique, malique et formique) et à ses flavonoïdes, **le citron** a sur les seins des effets adoucissants, tonifiants et astringents par resserrement des tissus.

L'oranger *(Citrus sinensis)*, plante de la famille des Ruta-cées, est un arbre d'Asie du Sud-Est tropical et subtropical. Sa culture, millénaire en Extrême-Orient, a été introduite en Europe seulement au XVe siècle.

La pulpe d'**orange** a sur la peau une action adoucissante, tonifiante et régénérante grâce à ses acides organiques, ses phénols et son huile essentielle.

L'huile de lin est une des huiles les plus riches en acides gras polyinsaturés : 14 % d'acide linoléique et 50 % d'acide alpha-linolénique. Ces acides gras possèdent sur les seins un effet de rajeunissement des cellules de la peau, d'as-souplissement et de protection des agressions externes.

La rose de Provins *(Rosa gallica)*, plante de la famille des Rosacées, est issue d'un églantier sauvage à fleurs doubles des régions méridionales de l'Europe et de l'Asie occiden-tale. Connue des Anciens, cette « rose de France » ou « rose rouge » a gagné l'Occident aux temps des croisades. La présence de tanins et d'anthocyanosides lui confère des propriétés astringentes, adoucissantes et anticouperose par augmentation de la résistance des capillaires et dimi-nution de la perméabilité des microvaisseaux.

La verveine odorante *(Lippia citriodora)*, plante de la famille des Verbénacées, est un arbrisseau chilien cultivé en Europe méridionale depuis la fin du XVIIIe siècle. Appelée encore verveine citronnelle, on la trouve actuellement dans le Midi, en Espagne, en Afrique du Nord, dans le Caucase, en Inde et en Australie.

Ses propriétés astringentes, adoucissantes et tonifiantes sont dues à ses flavonoïdes et son huile essentielle.

Le fenouil sauvage *(Foeniculum vulgare)*, plante de la famille des Ombellifères, est originaire de Syrie. Il s'est développé en Europe centrale, au Moyen-Orient et en Amérique. Ses graines contiennent une huile essentielle aux vertus adoucissantes.

Le pommier *(Malus communis)*, arbre de la famille des Rosacées, se trouve à l'état sauvage dans les bois, les haies et les lisières. Connu depuis les temps préhistoriques, il est cultivé dans les jardins et les vergers.

Tonifiante et astringente, **la pomme** raffermit aussi les tissus grâce à sa composition riche en acides organiques et en phénols.

La technique du froid est employée actuellement sur les sportifs de haut niveau dans des chambres de cryothérapie où les températures avoisinent les moins 130 °C. Le but de ces expositions de 2 à 3 minutes en chambre froide est de refroidir les muscles externes, pour recommencer à faire circuler le sang dans les muscles grâce à une quinzaine de minutes d'exercices par la suite. Ainsi l'acide lactique est éliminé plus rapidement que d'habitude.

En usage externe sur la peau, le froid contracte les fibres lisses de la peau et provoque une vaso-constriction locale qui va raffermir sa texture.

SOINS
DU DÉCOLLETÉ

Le cou, la gorge et les épaules ont une peau très fragile, car le tissu adipeux sous-cutané est très fin et peu développé. Très exposée pendant l'été, cette zone du corps est particulièrement sensible aux rayons solaires et à la pollution.

En prévention, il est utile de faire sur ce décolleté des soins adaptés pour éviter l'apparition de rides, prévenir le vieillissement et le relâchement de la peau et lui conserver son aspect tonique.

———

Pelez une pêche bien mûre avec précaution et écrasez-la à la fourchette dans une assiette creuse. Ajoutez-y quelques cuillerées à soupe de fromage blanc et un peu de lait et mélangez de manière à obtenir une préparation onctueuse. Appliquez-la sur le décolleté et sur les seins en ayant soin de protéger les mamelons avec un coton.

Laissez agir 15 minutes en appliquant un film plastique alimentaire si vous voulez obtenir un meilleur résultat. Rincez à l'eau tiède.

———

Le pêcher *(Prunus persica)*, arbre de la famille des Rosacées, est cultivé un peu partout dans les pays ensoleillés. En Chine, ses fleurs sont considérées comme un symbole de renaissance et de jeunesse depuis des temps immémoriaux.

La pulpe de **la pêche** contient une huile essentielle, de nombreux minéraux et des vitamines (A, B1, B2, PP et C) qui lui attribuent des propriétés adoucissantes, astringentes et exfoliantes par ses acides organiques, et antiradicalaires grâce à la provitamine A.

Le lait se compose de matières grasses, de sucre, de caséine et d'eau. Son action principale est d'être émollient.

BRAS RUGUEUX

Frictionnez énergiquement vos bras au gant de crin et à sec puis enduisez-les avant le coucher d'une légère couche de lanoline.

La friction au gant de crin permet une dilatation des vaisseaux.

La lanoline est une matière grasse extraite du suint de la laine du mouton (substance sébacée sécrétée par la peau). Purifiée, elle s'utilise dans la préparation de pommade ou de savon.
Le mélange de lanoline et d'eau sous forme d'une masse jaune citron remonte à 1882, date du brevet déposé par Liebreich et Braun. Désignée aussi sous le nom de graisse de laine, cette substance contient des acides gras et des alcools libres estérifiés qui rendent la peau beaucoup plus douce, plus fine et plus souple par activation de la fonction des glandes sébacées.

COUDES RUGUEUX

Poncez vos coudes tous les matins (ou tous les soirs) dans votre bain. Une fois par semaine, trempez-les 15 minutes dans de l'huile d'amande douce. Prenez deux soucoupes de tasse à café, mettez quelques gouttes d'huile d'amande douce (suffisamment pour que vos coudes trempent) et mettez chaque coude dans chaque soucoupe pendant 15 minutes.

Après une séance quotidienne de pierre ponce, frottez vos coudes une fois par semaine avec un demi-citron saupoudré de sel. Massez ensuite à la lanoline ou à l'huile d'olive. Vos coudes redeviendront très vite doux.

———

L'amande douce est le fruit de l'amandier doux *(Prunus amygdalus communis)*, arbre de la famille des Rosacées. **L'huile d'amande douce** possède des principes actifs (alcools terpéniques et flavonoïdes) aux propriétés régénérantes, des tanins et des vitamines qui sont adoucissantes.

Le citronnier *(Citrus limonum)*, arbuste de la famille des Rutacées, donne un fruit, **le citron**, qui possède des propriétés détergentes grâce à son huile essentielle, ainsi que des vertus exfoliantes grâce à ses dérivés hydroxylés.

La lanoline est une matière grasse extraite du suint de la laine de mouton. Elle contient des acides gras et des alcools libres estérifiés qui adoucissent la peau, l'assouplissent et la rendent moins rugueuse.

L'huile d'olive est un acide gras qui contient 7 % d'acides linoléiques et 80 % d'acides oléiques. Ces acides assouplissent la peau tout en la tonifiant.

MAINS DOUCES

Pour avoir des mains toujours belles et douces, mélangez soigneusement un demi-tube de glycérine et le jus d'un citron et mettez en bouteille pour pouvoir ensuite appliquer la lotion ainsi obtenue très régulièrement sur vos mains.

Savez-vous ce qui rendait si belles et si douces les mains de nos grands-mères ? La pâtisserie ! Pétrir la pâte est une bonne gymnastique et le beurre est un adoucissant.

Si vous avez un reste de purée de pommes de terre, ajoutez un peu d'huile d'amande douce et de la glycérine et appliquez cet onguent sur vos mains pendant quelques minutes.

Vous pouvez encore mélanger un jus de tomate mûre, 1 cuillerée à café de glycérine et une pincée de sel fin. Frottez-vous les mains avec ce mélange et vos mains deviendront instantanément beaucoup plus douces.

La glycérine est un trialcool liquide, incolore, sirupeux, de saveur sucrée, soluble dans l'alcool. Il est obtenu comme sous-produit lors de la fabrication des savons et des bougies. La glycérine permet de garder les mains douces et s'utilise en prévention contre les gerçures et les engelures.

Les propriétés anti-inflammatoires du **citron** sur la peau sont dues aux dérivés flavoniques qu'il contient, ainsi qu'à ses acides (citrique et malique). Sa teneur en acides hydroxylés permet une activité exfoliante, régénérante et astringente.

Les 20 % d'amidon de **la pomme de terre** jouent un rôle majeur d'anti-inflammatoire sur les tissus.

Les propriétés de **l'amande douce** sont cicatrisantes, antiseptiques et régénérantes, grâce aux alcools terpéniques et aux flavonoïdes qui la composent.

La tomate *(Lycopersicum esculentum)*, plante de la famille des Solanacées, a été découverte par les Espagnols en Amérique où elle poussait à l'état sauvage du Pérou au Mexique. Elle fit son apparition dans les jardins européens vers 1550. Ses acides organiques, ses vitamines et ses flavonoïdes lui confèrent des propriétés adoucissantes, astringentes et exfoliantes.

MAINS ABÎMÉES

Dans le fond d'une assiette à soupe, mettez la quantité d'huile d'amande douce nécessaire pour pouvoir tremper les deux faces de votre main et réchauffez-la quelques minutes au bain-marie jusqu'à ce qu'elle soit tiède.
Faites un bain d'huile pendant quelques minutes. Rincez-vous les mains au savon de Marseille, séchez-les soigneusement, puis frottez-les à la glycérine. Faites ce traitement le soir avant d'aller vous coucher pour ne pas avoir à mettre les mains dans l'eau immédiatement après. Renouvelez cette opération tous les soirs jusqu'à ce que vos mains redeviennent normales. Gardez la même huile d'amande douce pendant tout le traitement (remettez-la en bouteille après chaque opération), sinon cette recette serait bien trop coûteuse.

L'amandier *(Prunus amygdalus communis)*, arbre de la famille des Rosacées, donne **l'amande douce** dont les propriétés adoucissantes, nourrissantes et cicatrisantes résultent de sa composition en vitamines (A, B1, B2, B3, B5 et B6), en tanins et en lipides.

La glycérine est un liquide sirupeux, incolore, onctueux au toucher, qui permet de garder une peau souple et normale.

MAINS SÈCHES

Faites une purée de bananes fraîches. Mélangez avec un peu de beurre. Enduisez-en soigneusement vos mains… Il ne vous reste plus qu'à observer le coucher du soleil et garder la crème quelques minutes ! Si vous voulez pouvoir vous servir de vos mains en conservant cette crème un peu plus longtemps, utilisez de vieux gants de coton réservés à cet usage. Le plus pratique est de s'enduire les mains en prenant son bain. Ensuite, rincez et séchez. Vous devriez retrouver rapidement des mains souples et douces.

Le bananier *(Musa sinensis)* fait partie de la famille des Musacées. Originaire d'Asie méridionale, il donne des fruits riches en vitamines, en amidon et en acides organiques qui lui confèrent des vertus à la fois régénérantes, adoucissantes, anti-inflammatoires et purifiantes.

MAINS MOITES

La moiteur des mains est un phénomène désagréable caractérisé par un début de sudation au niveau de l'ensemble des mains, entraînant une transpiration avec humidification de la peau qui se couvre d'une légère sueur. Cet état très gênant peut être révélateur d'un déséquilibre du système neuro-végétatif, causé par des lésions nerveuses centrales ou périphériques.

Laissez infuser un bouquet de thym toute la nuit. Filtrez et ajoutez de l'alcool camphré. Lavez-vous les mains avec le mélange. Séchez vos mains soigneusement et saupoudrez-les de talc. Au bout d'un moment ce désagrément disparaîtra.

Vous pouvez aussi combattre cet inconvénient en vous lavant les mains avec une infusion faite à partir d'une poignée de feuilles de noyer pour 1 litre d'eau. Séchez et poudrez avec du talc.

Essayez simplement les frictions à l'alcool camphré, ou encore talquez vos mains au talc mentholé (une pincée de menthol pour 500 g de talc), ce qui aura pour mérite de leur donner une délicieuse odeur de menthe.

Le thym *(Thymus vulgaris)*, plante de la famille des Labiées, pousse dans les régions méditerranéennes, sur les coteaux arides de préférence. La « farigoule » des Provençaux, plante condimentaire parmi les plus appréciées, a été aussi employée de tout temps pour ses propriétés médicinales. Sa fraction hydrosoluble est anti-oxydante, antiseptique et purifiante.

Le camphrier *(Cinnamomum camphora)*, arbre de la famille des Labiées, se rencontre au Japon et en Asie du Sud-Est. Ce bel arbre aromatique peut vivre 2 000 ans.

Le camphre est un médicament utilisé en Europe dès le XIIe siècle. **L'alcool camphré** ou esprit de camphre possède, grâce à la fraction hydrosoluble de cette plante et à son huile essentielle, des propriétés adoucissantes, purifiantes et antiseptiques.

Le noyer *(Juglans regia)*, arbre de la famille des Juglandacées, est cultivé dans le sud-est européen et asiatique, des Balkans et de la Crête jusqu'au nord de la Chine. Chassé d'Europe occidentale par la dernière glaciation quaternaire, il réapparut en France à la fin de l'âge de bronze, et vers l'an 800 avant J.-C. dans la région de Grenoble, aujourd'hui renommée pour ses noix.

Les feuilles de noyer possèdent des propriétés antiseptiques, adoucissantes et purifiantes grâce à ses composés phénoliques et à ses acides organiques.

ROUGEUR DES MAINS

Les mains rouges sont souvent dues à une mauvaise circulation sanguine. Suivre un traitement pour la circulation avec votre médecin est recommandable, ce qui n'empêche pas de soigner vos mains avec certaines préparations maison.

Faites bouillir une poignée de feuilles d'eucalyptus et une poignée de feuilles de sureau dans 1 litre d'eau pendant 1/2 heure. Filtrez et laissez refroidir un peu. Immergez vos mains dans la décoction encore chaude pendant 10 minutes. Séchez-les soigneusement et frottez-les d'un peu de farine d'avoine ou de talc.

La pâte de concombre, mélangée à de la farine d'avoine et délayée avec de la glycérine, rend les mains très blanches.

L'eucalyptus *(Eucalyptus globulus)*, plante de la famille des Myrtacées, fut découvert en 1792 par Jacques-Julien Houton de la Billardière, voyageur et botaniste français, au cours d'une expédition en Australie. Sa première utilisation thérapeutique en Europe remonte à 1865.
À l'heure actuelle, il existe dans le monde plus de 600 espèces d'eucalyptus. Originaires de Tasmanie et d'Australie, ils s'acclimatent bien dans tout le Bassin méditerranéen.
Cet arbre est encore appelé eucalyptus globuleux, eucalyptus des pharmaciens ou gommier bleu de Tasmanie.
Le composant principal des feuilles est une huile essentielle pouvant contenir jusqu'à plus de 80 % d'eucalyptol. Ses propriétés astringentes, dues à la forte présence de tanins galliques et ellagiques, permettent de diminuer la rougeur des mains.

Le sureau noir *(Sambucus nigra)*, arbuste de la famille des Caprifoliacées, est originaire de l'Europe centrale et méridionale. Répandu en Afrique du Nord, commun en France, le sureau noir se rencontre dans les haies et les bois clairs. La découverte de graines de sureau dans les lieux d'habitation de l'âge de pierre et du bronze prouve leur utilisation pendant la préhistoire.
Ses propriétés émollientes, qui agissent sur la vascularisation des mains, sont dues à la présence de mucilages, de

flavonoïdes et d'acides-phénols. Quant à la présence d'anthocyanosides, elle corrige la fragilité capillaire du fait de leur action vitaminique P.

Le concombre *(Cucumis sativus)*, plante de la famille des Cucurbitacées, est cultivé dans de nombreuses régions tempérées. Originaire du nord-ouest de l'Inde, il y est cultivé depuis plus de 4 000 ans.
Apprécié des Grecs et des Latins, paré d'un grand nombre de pouvoirs thérapeutiques au Moyen Âge, le concombre renferme des vitamines A et C, du fer, du manganèse, de l'iode et des traces de thiamine.
Son principe actif, l'élatérine, a pour effet de relâcher les tissus enflammés. La pulpe possède des propriétés adoucissantes.

L'avoine *(Avena sativa)*, plante de la famille des Graminées, est originaire d'Asie Mineure et d'Asie centrale. Très prisée en France, en Allemagne et dans les pays anglo-saxons, cette plante est utilisée en cosmétique pour son activité émolliente due à ses composés phénoliques et à ses acides organiques.

CREVASSES

Les crevasses sont des fissures plus ou moins douloureuses de la peau des mains. Les plaies sont plus profondes que les gerçures.
Les causes en sont multiples, notamment une irritation légère mais continue, le froid, la pression, certaines affections de la peau comme l'eczéma ou l'impétigo.

Prenez une poignée de farine de lin et 1 cuillerée d'huile d'amande amère (l'huile d'amande amère se prépare en mélangeant 2 g d'essence d'amande amère à 50 cl d'huile d'olive). Mélangez bien et ajoutez une quantité d'eau chaude suffisante pour former une bouillie claire. Plongez vos mains dedans et frictionnez-les pendant 15 minutes. Rincez à l'eau tiède. Vous guérirez ainsi vos gerçures et adoucirez la peau de vos mains.

Préparez un cataplasme avec un petit bouquet de plantain frais haché. Mettez-le dans un linge et appliquez-le sur les crevasses pendant 10 minutes.

Le lin *(Linum usitatissimum)*, plante de la famille des Linacées, est probablement originaire du Caucase. Connu pour ses fibres textiles depuis les premiers âges de l'humanité, on le cultivait déjà au début du néolithique au Moyen-Orient. Sa richesse en mucilages lui confère ses propriétés anti-inflammatoires. Sa partie hydrophile permet son activité restructurante du tissu cutané. Sa fraction lipidique joue un rôle de conditionneur cutané.

L'amandier amer *(Prunus amygdalus)*, arbre de la famille des Rosacées, est originaire d'Asie Mineure et de Mésopotamie. Il est fréquent dans les rocailles arides de l'Europe méridionale. Son fruit, l'amande, contient 45 % d'une huile connue sous le nom d'**huile d'amande amère**. Ses propriétés sur la peau sont reconnues comme anti-inflammatoires et cicatrisantes grâce à ses enzymes, à ses phénols et à ses vitamines (A, B1, B2, B3, B5 et B6).

Le plantain *(Plantago major)*, herbe de la famille des Plantaginacées, se trouve dans tous les lieux incultes de l'Europe, de l'Afrique du Nord et d'Asie occidentale.
La feuille de plantain est connue depuis longtemps en médecine populaire comme anti-inflammatoire très puis-

sant sur les blessures et les crevasses, et comme antibactérien par réaction sur les enzymes des micro-organismes. Ces propriétés sont dues aux principes actifs que la plante contient : le mucilage, la pectine, les tanins et les iridoïdes (l'aucuboside notamment).

VIEILLISSEMENT DES MAINS

Mélangez un jaune d'œuf avec une noisette de lanoline et 10 gouttes de jus de citron. Massez vos mains avec application puis enduisez-les de la préparation. Gardez 20 minutes en tenant les mains surélevées le plus possible. Enlevez ensuite à l'eau de rose ou d'hamamélis.

***

Le jaune d'œuf contient de la lécithine que l'on peut considérer comme un ester complexe de l'acide phosphorique et de la glycérine. Cette lécithine stimule la nutrition des cellules.

La lanoline ou lanoléine, dite encore graisse de laine est une matière grasse extraite du suint de la laine du mouton. Elle possède des propriétés adoucissantes, assouplissantes et cicatrisantes grâce aux acides gras et aux alcools libres estérifiés qu'elle contient.

Le jus de citron a des vertus anti-inflammatoires, exfoliantes et régénérantes grâce à ses dérivés flavoniques et à ses acides.

TACHES BRUNES SUR LES MAINS

Ma grand-mère le répétait souvent : « C'est à ça que je me vois vieillir. » Elle parlait des taches brunes qui apparaissent sur les mains avec l'âge. Elle appliquait tous les matins sur ses mains un jus de citron pour atténuer les taches.

Vous pouvez aussi lotionner vos mains avec une décoction de feuilles ou d'écorce de bouleau blanc à raison de 4 cuillerées à soupe pour 1 litre d'eau. Laissez bouillir 10 minutes. Infusez 15 minutes et filtrez.

Le citronnier *(Citrus limonum)*, plante de la famille des Rutacées, est originaire d'Asie méridionale et sud-orientale, au pied de l'Himalaya indien. Cultivé depuis des millénaires de l'Inde à la Chine, il passa longtemps en Occident pour être un arbre mythique, portant fleurs et fruits toute l'année. Propagé par les Arabes en Égypte et en Palestine vers le Xe siècle, le citronnier vrai reste l'une des conquêtes de la croisade.
Le jus de citron possède des propriétés détergentes, purifiantes, exfoliantes et surtout dépigmentantes grâce à sa teneur en acides hydroxylés.

Le bouleau blanc *(Betula alba)*, plante de la famille des Bétulacées, est commun dans toute l'Europe, sauf dans la région méditerranéenne. On le trouve aussi en Asie tempérée.
Cet arbre dont les origines remontent à plus de 30 millions d'années, a toujours été utilisé pour les besoins des hommes. Les feuilles ou l'écorce de bouleau sont à la fois purifiantes, astringentes et antiseptiques.

GERÇURES

Les gerçures sont des petites fissures linéaires de la peau altérée par un processus inflammatoire situé autour de la lésion, qui peut entraîner des douleurs assez vives, surtout lors d'un contact avec un corps étranger.
Le fond de la plaie est en général rouge vif. Le plus souvent ces plaies sont sèches ; mais un suintement séreux ou séro-sanguinolent peut parfois se produire.

Broyez 4 oignons de lys et introduisez-les dans une bouteille de 1/2 litre d'huile de noix. Appliquez sur l'engelure. Posez un linge fin par-dessus ou des gants de coton et dormez avec.

Faites dessécher deux figues au four. Réduisez-les en poudre et mélangez à du miel de lavande pour former une pâte. Appliquez de la même façon que précédemment sur les engelures.

Le miel de Bretagne est connu pour cicatriser les engelures ouvertes : enduisez-en les parties malades, recouvrez de compresses et gardez toute la nuit.

Le lys commun à fleurs blanches *(Lilium candidum)*, plante de la famille des Liliacées, est originaire du Liban où on le trouve à l'état spontané.
Son bulbe renferme des enzymes et des flavonoïdes, ce qui lui vaut une activité anti-inflammatoire, hydratante, adoucissante et antalgique.

L'huile de noix contient 50 % d'acide linoléique et 6 % d'acide alpha-linolénique dont la propriété principale est d'agir contre le vieillissement cellulaire de la peau. Ses acides gras possèdent deux actions : une action directe et immédiate sur la peau en l'assouplissant et en la protégeant, et une action à moyen terme stimulant son mécanisme de régénération.

Le figuier *(Ficus carica)*, plante de la famille des Moracées, est originaire d'Orient. Il est cultivé pour son fruit, **la figue**, dans tout le pourtour méditerranéen et en Californie.
Sa composition en acides organiques, en flavonoïdes et en vitamines (A et B1) lui confère des propriétés adoucissantes et émollientes.

Le miel de lavande relâche les tissus enflammés et les ramollit en stimulant la croissance et la division des cellules, favorisant ainsi la cicatrisation. Il est reconnu pour ses activités antiseptiques, adoucissantes et régénérantes grâce à la composition de l'extrait de lavande (tanins, coumarines, flavonoïdes).

Le miel de Bretagne contient du couvain, une substance très fermentescible. Il est reconnu pour ses propriétés émollientes et surtout cicatrisantes. Son acide formique s'avère être un excellent antiseptique.

MAINS ÉCORCHÉES

On entend par mains écorchées, des mains qui présentent des petites coupures superficielles, des égratignures, des griffures, ou encore des éraflures causées par des éléments externes : griffes de chat, ronces…

Pour cicatriser et unifier l'épiderme, mélangez 1 cuillerée à soupe de lanoline avec 1 cuillerée à soupe de baume du Pérou et 10 gouttes d'huile de votre choix (olive, amande douce, pépin de raisin, etc.).
Pendant que la préparation repose, massez vos mains pour les stimuler. Posez le masque et gardez-le 4 à 5 minutes, pas davantage car son action est forte.
Rincez à l'eau de rose.

Matière grasse extraite du suint de la laine du mouton, **la lanoline** purifiée est une substance cireuse et anhydre, de couleur jaune citron, à consistance de pommade neutre, translucide, dotée d'une odeur non désagréable. On l'utilise pour adoucir la peau, l'assouplir et la cicatriser. Elle contient en effet des acides gras et des alcools libres estérifiés.

Le baume paraît avoir désigné à l'origine des compositions à base d'onguent (sorte de pommade renfermant habituellement des substances résineuses), auxquelles on attribuait des vertus thérapeutiques supérieures. Plus tard, cette dénomination fut étendue à des préparations liquides, odorantes et généralement alcooliques. Désormais, elle est réservée à des produits végétaux naturels, dont la composition est représentée par de la résine, de l'huile essentielle et un acide aromatique.

Le baume du Pérou *(Myroxylon balsamum)* provient d'un arbre d'Amérique centrale (San Salvador). Son nom vient du fait que, pendant l'occupation espagnole, il fut d'abord expédié à Callao, port du Pérou, puis de là en Europe.

Le liquide sirupeux et noirâtre qu'on en extrait, à l'arôme fortement vanillé, contient de la cinnaméine, du farsénol et du peruviol, substances à vertus cicatrisantes et antiseptiques.

Les autres **huiles** employées sont cicatrisantes, anti-inflammatoires et régénérantes grâce à leur composition en acide linoléique, en acide alpha-linolénique, en acide oléique et en vitamine E.

 # MAINS TACHÉES

Ma grand-mère était intransigeante sur la propreté des mains. Lorsqu'elle avait des taches d'encre, de goudron, de fruits, ou de pomme de terre sur les mains, elle appliquait sur les taches soit du jus de citron, soit de la peau d'orange ou de citron côté extérieur, soit des tomates mûres écrasées, des fraises réduites en purée, des feuilles d'oseille, du lait ou de la vaseline selon ce qui lui tombait sous la main. Tous ces produits sont excellents pour se nettoyer les mains.

Le jus de citron possède des propriétés détergentes et purifiantes grâce à sa teneur en acides hydroxylés.

Les vertus exfoliantes et adoucissantes de **la peau d'orange** et de **la peau de citron** sont dues à leurs principes actifs riches en acides organiques (ascorbique, citrique, malique et borique).

La tomate contient également des acides organiques (malique, citrique, tartrique et succinique) qui lui confèrent des effets adoucissants et exfoliants.

Le caractère exfoliant et purifiant de **la fraise** provient de ses acides organiques, ainsi que de ses composés phénoliques (anthocyanidines).

La substance légèrement acide, la vitamine C et le bioxalate de potassium permettent aux feuilles d'**oseille** d'avoir des propriétés acides, adoucissantes, détergentes et purifiantes.

La vaseline, mélange d'huiles lourdes et de paraffines, résidu de la distillation du pétrole, est une substance neutre, insipide, molle et onctueuse généralement bien tolérée par la peau.
Par sa composition, elle permet de dissoudre nombre d'éléments comme le soufre, l'iode, le phosphore, les phénols et les alcalis organiques.

ODEURS TENACES SUR LES MAINS

Contre l'odeur de poisson
Ma grand-mère, après avoir nettoyé le poisson du repas, avait coutume de se laver les mains au vinaigre pur ou de se frotter énergiquement avec une pomme de terre crue fraîchement coupée. Ensuite elle enduisait ses mains d'un mélange égal de miel et de poudre d'iris pour les adoucir.

Contre l'odeur d'ail
Frictionnez vos mains au marc de café puis enlevez l'excédent à l'aide d'un papier ménager absorbant.

Contre l'odeur d'oignon
Frictionnez vos mains au persil frais.

Contre l'odeur de Javel
Frictionnez vos mains au vinaigre.

Le persil frais possède des propriétés adoucissantes et purifiantes grâce à ses feuilles et des propriétés sudorifiques grâce à ses racines.
Il contient une essence, des sels minéraux, des vitamines (A, C, E) et du fer.

Le vinaigre permet de supprimer certaines odeurs et notamment celle de Javel, grâce à sa composition en acide acétique.

La pomme de terre a un effet adoucissant sur la peau grâce à sa composition en amidon (20 %) qui se révèle être un très puissant anti-inflammatoire naturel. De plus, les molécules d'amidon vont permettre d'absorber au maximum et de neutraliser le produit dont on veut supprimer l'odeur.

Les propriétés adoucissantes du **miel** proviennent de sa composition en glucose, lévulose, acide formique et principes aromatiques.

L'iris est réputé pour son activité détergente grâce à son huile essentielle.

LES ONGLES

1. DÉFINITION ANATOMIQUE

Les ongles sont des annexes de la peau d'origine épidermique. Il s'agit d'une lame demi-transparente de substance cornée et dure qui recouvre l'extrémité des doigts de la main et du pied.

Sa « racine » est constituée par un bord mince et dentelé qui s'enfonce sous un repli de la peau et qui est le siège principal de l'accroissement de l'ongle. Sa partie moyenne est adhérente au derme sous-jacent par sa face inférieure. Sa partie extérieure est lisse. Son pourtour est enclavé dans un sillon (matière unguéale), constitué par de la peau qui s'étend au-dessus.

La croissance quotidienne des ongles varie de 4/100 à 14/100 mm et dépend de l'activité de sa racine.

COUPE SCHÉMATIQUE D'UN ONGLE

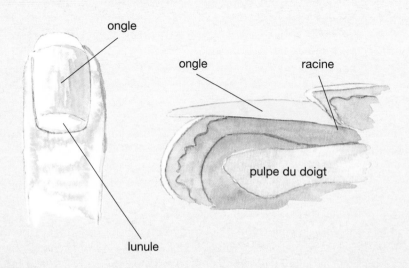

ongle

ongle

racine

pulpe du doigt

lunule

2. HISTORIQUE

Nos ancêtres de la préhistoire s'en servaient de griffes. Les temps ont bien changé et les ongles, aujourd'hui objets de grands soins, sont devenus les bijoux de nos mains.

3. LES ONGLES ET LA SANTÉ

Les ongles, reflet de notre santé générale, peuvent posséder certaines pathologies : dermatoses, mycoses, infections, panaris, psoriasis… De nombreux problèmes médicaux peuvent entraîner des anomalies unguéales : fumée de cigarette, chimiothérapies, antibiotiques, stress, lichen plan, agressions par les détergents ménagers, asthénie, régimes alimentaires déséquilibrés, carences diverses…
Pour avoir de beaux ongles, il faut prendre certaines précautions :
– portez des gants pour accomplir les tâches ménagères ainsi que pour le jardinage ;
– ne poussez pas vos peaux ;
– ne rongez pas vos ongles.
Pensez que toute origine d'un trouble unguéal peut être le signe d'un dérèglement de l'organisme. Votre généraliste ou votre dermatologue devra alors établir un diagnostic pour remédier au mal et en trouver la solution.

ONGLES ABÎMÉS

Nos grands-mères du Midi faisaient chauffer une journée au soleil (ou 6 heures au bain-marie) 20 feuilles d'olivier qu'elles avaient mélangées à 20 cl d'huile d'olive. Puis elles filtraient la préparation et l'appliquaient sur leurs ongles matin et soir. Le résultat était garanti.

Nos grands-mères faisaient aussi parfois fondre 1 cuillerée à café de cire d'abeilles dans une coupelle en verre au bain-marie. Elles incorporaient 3 gouttes d'essence de citron puis, progressivement et sans cesser de tourner (comme pour une mayonnaise), 3 cuillerées à soupe d'huile d'amande douce. Elles laissaient refroidir et utilisaient tous les soirs sur les ongles en massant. En traitement de fond, faites un massage par semaine.

Avant d'entreprendre des travaux salissants (jardinage, peinture, bricolage…), protégez vos ongles en les frottant avec du savon sec.

L'olivier *(Olea europea)*, arbre de la famille des Oléacées, est aujourd'hui présent dans tout le Bassin méditerranéen ainsi qu'en Californie. Cultivé en Asie occidentale et au Proche-Orient depuis des millénaires, introduit à Athènes depuis 3 500 ans, cet arbre a gagné l'Italie au cours du Ier millénaire avant J.-C. Égyptiens, Sumériens, Hébreux, Grecs et Arabes en parlent dans leurs écrits.
Cet arbre qui peut vivre pendant des siècles s'adapte très bien à des sols pauvres et peu arrosés.
La feuille d'olivier possède des propriétés anti-oxydantes et régénérantes sur les ongles, dues à sa composition en matières minérales (calcium, chlore, fer, phosphore, potassium, silicium et sodium), en flavonoïdes et en acides orga-

niques (acides glycolique, lactique, tartrique et malique). **L'huile d'olive** possède elle aussi des vertus régénérantes grâce à sa composition en matières minérales, en vitamines et en flavonoïdes.

La cire d'abeilles est une substance grasse sécrétée par les abeilles ouvrières, de consistance molle et de couleur jaunâtre, avec laquelle elles construisent les cellules nourricières des larves et de la reine.
Cette cire possède une odeur faible caractéristique du miel. Elle est formée de deux principes qui permettent de fortifier les ongles : la cérine (acide cérotique) et la myricine.

L'essence de citron contient des acides hydroxylés qui possèdent des propriétés tonifiantes et régénérantes.

L'huile d'amande douce a la propriété de régénérer la structure de l'ongle grâce à ses principes actifs : alcools terpéniques et flavonoïdes.

ONGLES STRIÉS

Un ongle strié est couvert de petits sillons parallèles, plus ou moins nombreux, séparés par des arêtes saillantes de couleur blanchâtre dans la plupart des cas.

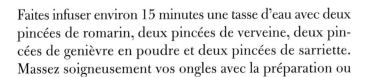

Faites infuser environ 15 minutes une tasse d'eau avec deux pincées de romarin, deux pincées de verveine, deux pincées de genièvre en poudre et deux pincées de sarriette. Massez soigneusement vos ongles avec la préparation ou laissez-les tremper un bon quart d'heure. Séchez. Recommencez aussi souvent qu'il le faudra.

Pour retrouver des ongles lisses, vous pouvez aussi les tremper dans un bol d'eau additionnée de 8 gouttes d'huile de calendula (souci).

Le romarin *(Rosmarinus officinalis)*, arbuste odoriférant de la famille des Labiées, est très commun sur le littoral méditerranéen. Il fleurit toute l'année en climat chaud. Plante très prisée des Anciens, on découvrit même un rameau de romarin dans une des pyramides de l'Égypte ancienne.
Son huile essentielle composée de monoterpènes possède des vertus anti-oxydantes, régénérantes et tonifiantes pour les ongles.

La verveine odorante *(Lippia citriodora)*, plante de la famille des Verbénacées, est un arbrisseau originaire de l'Amérique du Sud (Chili, Argentine, Uruguay, Pérou). Actuellement cultivée au Maroc, en Tunisie, en Espagne, en Italie et en Inde, elle dégage une odeur envoûtante.
La verveine renforce la structure unguéale grâce à ses propriétés tonifiantes et antiradicalaires dues à la composition de son huile essentielle (terpénoïdes, cinéol, linalol et limonème) et de ses composés phénoliques (flavonoïdes du groupe des flavones).

Le genévrier *(Juniperus communis)*, plante de la famille des Conifères, est un arbuste répandu dans les régions montagneuses, les landes et les clairières de tout l'hémisphère Nord de l'Europe à l'Asie occidentale. Ses fruits sont des cônes charnus et globuleux, d'abord verts puis noir bleuâtre et recouverts de cire à maturité : il s'agit des baies de genièvre.
La présence d'un principe amer aux propriétés tonifiantes confère à l'huile essentielle extraite de ces baies une activité régénérante.

La sarriette *(Satureia moriens)*, plante de la famille des Labiées, fréquente les lieux secs et ensoleillés du Bassin méditerranéen, ainsi que le reste de l'Europe méridionale et l'Asie occidentale. Ses propriétés anti-oxydantes, anti-radicalaires et tonifiantes s'exercent grâce à la composition de son huile essentielle riche en composés phénoliques (estragol, thymol) et en terpénoïdes (bornéol, carvacrol, cinéol, pinène).

Le souci *(Calendula officinalis)*, plante de la famille des Composées, se rencontre dans les endroits humides de presque toute l'Europe, de l'Asie occidentale et septentrionale ainsi qu'en Algérie. Utilisé comme cicatrisant et trophique protecteur pour les ongles, il doit cette propriété à sa composition en acides phénoliques, en flavonoïdes, en tanins et en caroténoïdes abondants.

TACHES BLANCHES SUR LES ONGLES

Une théorie ancienne rend le manque de calcium responsable de ces taches sur les ongles. Or aucune analyse statistique n'a pu le prouver. Les spécialistes penchent pour d'autres causes encore hypothétiques, comme des mini-traumatismes sur la base de l'ongle, des soins excessifs, certaines maladies infectieuses ou des dermatoses.

Du temps de ma grand-mère, on appelait ces taches blanches, des mensonges. Je n'ai jamais pu savoir pourquoi !

Laissez macérer 40 à 50 g de prêle séchée pour 1 litre d'eau pendant trois bonnes heures. Chauffez et faites bouillir doucement 25 minutes. Puis infusez 10 minutes. Buvez 3 à 4 tasses de ce liquide par jour, pendant deux ou trois semaines. Les taches disparaîtront. Cette boisson ne se conserve pas, il faut donc la refaire quotidiennement.

La prêle des champs *(Equisetum arvense)*, plante de la famille des Équisétacées, est très commune sur tous les continents. Elle affectionne les lieux humides et ombragés. Cette plante a toujours été considérée comme une panacée par les Romains. Encore appelée queue-de-rat, queue-de-chat, queue-de-cheval ou herbe à récurer, les Anciens l'employaient comme reminéralisant en cas de fragilité osseuse et d'ongles cassants.

La prêle est très riche en matières minérales, potassium et surtout silicium, ce qui lui confère une forte activité reminéralisante.

JAMBES LOURDES

Combien de personnes souffrent de lourdeur, d'engour-
dissement et de douleur dans les jambes soit en période de
chaleur, soit en raison d'un métier qui les oblige à tra-
vailler debout pratiquement toute la journée.
Il s'agit d'un problème de mauvaise circulation veineuse
et, dans bon nombre de cas, de varices, c'est-à-dire d'une
dilatation excessive et permanente d'une ou plusieurs
veines superficielles et profondes des jambes.

Faites une décoction avec 500 g de feuilles de noyer pour
3 litres d'eau et laissez bouillir environ 15 minutes. Incorporez cette préparation à l'eau de votre bain. Restez quinze
bonnes minutes, puis aspergez vos jambes à l'eau froide.

De juin à septembre, pendant la saison des myrtilles que
vous achèterez au marché ou que vous cueillerez dans les
montagnes, profitez des nombreuses vertus de cette petite
baie noire.
Mettez les myrtilles dans 1/2 litre d'eau froide, couvrez et
portez lentement à ébullition. Laissez bouillir à feu doux
15 minutes. Passez la solution et laissez tiédir. Badigeonnez avec la solution ainsi obtenue toute la partie de la jambe
lourde et douloureuse. Laissez agir 15 minutes puis rincez
à l'eau froide.

Ou bien mixez 100 à 150 g de myrtilles avec 1 cuillerée à
soupe d'huile d'olive, puis ajoutez-y une noisette de gelée
royale. Badigeonnez-vous alors les jambes de cette mixture
savoureuse et gardez-la pendant 15 minutes. Rincez à l'eau
froide.

Le noyer *(Juglans regia)*, arbre de la famille des Juglandacées, est originaire d'Asie Mineure et d'Europe orientale. Il est aujourd'hui acclimaté dans toutes les régions tempérées d'Europe.

L'usage du noyer est mentionné dans les traités médicaux dès l'Antiquité, notamment chez les Perses.

Les feuilles du noyer sont traditionnellement utilisées dans le traitement de l'insuffisance veineuse du fait de sa composition en tanins, en juglone et en flavonoïdes servant de stimulant capillaire.

La myrtille *(Vaccinium myrtillus)*, plante de la famille des Éricacées, est un sous-arbrisseau rencontré dans les sous-bois des régions montagneuses. Ses fruits frais ont la propriété de lutter contre la fragilité des vaisseaux grâce à ses acides-phénols et à ses anthocyanosides. Les flavonoïdes, quant à eux, confèrent une activité vitaminique P qui augmente la résistance des capillaires et régulent leur perméabilité.

JAMBES ET GENOUX RUGUEUX

Mélangez 10 g de lanoline à 2 cuillerées à soupe d'huile d'amande douce et 1 cuillerée à soupe de miel de lavande. Étalez, massez longuement. Laissez pénétrer 1/2 heure avant d'essuyer le superflu au linge fin.

Une application matin et soir pendant un mois environ (tout dépendra de l'importance de la rugosité) permettra d'atténuer ou de faire disparaître la rugosité.

La lanoline (matière grasse extraite du suint de la laine de mouton) contient des acides gras et des alcools libres estérifiés qui rendent la peau plus douce, plus fine et plus souple par activation des glandes sébacées.

L'huile d'amande douce est obtenue par expression des amandes douces, fruit de l'amandier doux, arbre de la famille des Rosacées *(Prunus amygdalus communis)*. Ce dernier est à différencier de l'amandier amer.

L'huile d'amande douce est très utilisée en cosmétique pour ses propriétés cicatrisantes, anti-inflammatoires, antiseptiques et régénérantes, grâce aux principes actifs contenus dans l'amande douce : alcools terpéniques (linalol et géraniol) et flavonoïdes.

CHEVILLES ENFLÉES

Une cheville enflée est une cheville qui possède un léger œdème, caractérisé par un gonflement de consistance molle où le doigt s'enfonce comme dans du beurre et laisse une empreinte dite du « godet ».

À la fin de la journée, ma grand-mère avait parfois les chevilles enflées. Elle faisait alors une décoction de romarin à raison de 30 g de feuilles fraîches par 1/2 litre d'eau pendant environ 10 minutes et laissait tremper ses chevilles un bon quart d'heure (vous pouvez aussi appliquer des compresses). Ses chevilles étaient rapidement décongestionnées.

Le romarin *(Rosmarinus officinalis)*, plante de la famille des Labiées, se développe dans les contrées méridionales de l'Europe, sur les collines arides de la Provence et du Languedoc. Cette plante occupait une place importante dans les rites antiques égyptiens et grecs. Les Arabes s'en servirent également pour ses vertus thérapeutiques diverses. En Europe, le romarin fut utilisé dans les monastères comme plante médicinale.
En usage local, il diminue les œdèmes et les contusions grâce à la composition de son huile essentielle riche en alpha-pinène, bornéol, camphre et cinéol.

Une attention particulière doit être notée pour toute enflure des chevilles : ou bien il s'agit d'un léger œdème de fatigue, non pathologique, et ce remède s'impose ; ou bien il peut s'agir d'un problème médical beaucoup plus grave, et une consultation médicale s'avère alors indispensable.

Certaines maladies peuvent en effet entraîner comme conséquence un œdème des membres inférieurs : insuffisance cardiaque, hypertension artérielle essentielle, syndrome néphrétique, cirrhoses, insuffisance rénale chronique, compressions abdomino-pelviennes…

CORS AU PIED ET DURILLONS

La cause principale de ces déformations est le frottement répété des chaussures.

Le cor est une petite excroissance de la couche superficielle de la peau (épiderme) localisé au niveau des doigts de pieds, avec un prolongement s'enfonçant plus ou moins dans la couche profonde (derme), d'où son nom de « clou ». Entre les doigts de pieds, il forme le fameux « œil de perdrix ». Dure et douloureuse dans la plupart des cas, cette callosité siège en général au-dessus des articulations des phalanges des orteils.

Le durillon quant à lui est un épaississement arrondi, légèrement saillant, de la couche cornée de la peau, dont les bords se perdent sur l'épiderme du voisinage. Par suite de frottements répétés, il se constitue parfois une petite bourse séreuse au-dessus de ce durillon qui peut suppurer quand elle s'enflamme.

Ma grand-mère n'imaginait pas une seconde se déchausser et montrer des cors ou durillons. Elle soignait donc très vite les apparitions de ces désagréments. Elle préparait des cataplasmes de mie de pain et de vinaigre en faisant macérer le pain dans le vinaigre pendant 30 minutes, puis les appliquait sur les cors et les durillons pendant 10 à 15 minutes.

Parfois, elle mettait deux tranches de pain blanc et deux tranches d'oignon dans un bol. Elle versait du vinaigre dessus et laissait reposer 24 heures. Elle couvrait le cor ou le durillon avec le pain et plaçait un morceau d'oignon dessus. Elle maintenait le tout avec un bandage et une vieille chaussette et gardait cet emplâtre toute la nuit. Le résultat était garanti.

Vous pouvez aussi mettre des petites tranches de pain rassis imbibées de vinaigre de cidre dans une compresse et l'appliquer sur les durillons.

Le vinaigre est un liquide acide fait à partir du vin, du cidre ou de la bière, résultant d'une fermentation acétique. Le mot vinaigre provient de la combinaison des mots vin et aigre, définition d'un vin qui a tourné à l'aigre.

Historiquement, on parle déjà du vinaigre dans un ancien texte médical assyrien pour le traitement de douleurs auriculaires. En l'an 400 avant J.-C., Hippocrate utilisait beaucoup ce principe. La Bible mentionne également son usage pour panser et guérir les blessures et les plaies infectées. Sa composition en acides essentiels, en enzymes spécifiques et en phénols, lui confère des propriétés antiseptiques, bactéricides et anti-inflammatoires qui agissent sur la peau en ramollissant certains tissus.

L'oignon *(Allium cepa)*, plante de la famille des Liliacées, pousse à l'état spontané en Iran. Il est cultivé dans le monde entier.

Grâce à ses composés organiques et ses enzymes (oxy-dases et diastases), il possède des propriétés émollientes et anti-inflammatoires et peut dissoudre certaines substances mises au contact de ses enzymes.

Attention à une éventuelle complication d'un cor au pied ou d'un durillon. L'inflammation d'un cor peut être en effet le départ d'une lymphangite grave, en particulier chez les diabétiques. Quant aux durillons, une suppuration peut entraîner un phlegmon. Il ne faut donc pas hésiter à consulter un spécialiste en cas de problème.

PIEDS LOURDS

Certains métiers sont durs pour les pieds. Outre le fait de devoir rester debout et de piétiner toutes la journée, les vendeuses ou coiffeuses ne sont pas toujours autorisées à porter des chaussures confortables et le soir les pieds sont bien lourds…
Faites simplement des bains de pieds avec de l'eau chaude… et non brûlante, dans laquelle vous rajoutez une poignée de gros sel de cuisine.

Ou bien préparez une infusion avec une grosse poignée de tilleul dans 1 litre d'eau, versez-la dans une bassine d'eau chaude et faites un bain de pied.

Le sel, ou chlorure de sodium, joue un rôle important dans certains échanges cellulaires. Grâce à sa composition moléculaire, il attire à lui certains éléments qui vont permettre d'éliminer les toxines présentes.

Le tilleul *(Tilia cordata)* est un arbre de la famille des Tilia-cées qui pousse à l'état spontané dans toute l'Europe, en Asie Mineure et en Amérique du Nord.
Les fleurs de tilleul sont utilisées depuis l'Antiquité pour leurs vertus médicinales. Elles possèdent une huile essentielle riche en farsénol qui provoque une action sédative, adoucissante et émolliente.

PIEDS DOULOUREUX

Si, après une journée de marche ou de station debout, vous avez très mal aux pieds, mettez dans une bassine d'eau tiède une poignée de lavande, une poignée de menthe verte et une poignée de sel marin. Laissez vos pieds une bonne dizaine de minutes dans ce bain et la douleur s'atténuera très rapidement.

La lavande vraie *(Lavandula vera)*, sous-arbrisseau de la famille des Labiées, se rencontre en général sur les coteaux du midi de la France. Elle dégage lors de sa floraison un parfum suave et pénétrant.
La lavande possède une propriété adoucissante grâce à son huile essentielle composée de flavonoïdes et d'acides phénoliques.

La menthe verte *(Mentha viridis)*, plante de la famille des Labiées, pousse dans les bois humides et les prairies d'Europe et d'Amérique du Nord. Cultivée depuis des temps très anciens, on retrouve ses traces dans les tombeaux égyptiens des XIIIe et VIIe siècles avant J.-C. Au

Moyen Âge, de nombreuses thérapeutiques faisaient appel à la menthe verte. Elle est également appelée menthe douce ou menthe romaine.

Sa principale action analgésique provient de la composition de son huile essentielle riche en un alcool terpénique, le menthol.

Le sel marin arrête les phénomènes douloureux car il diminue l'œdème au niveau du pied grâce à sa composition moléculaire qui favorise les échanges extra et intra-cellulaires.

PIEDS RUGUEUX

Après un bon bain chaud, n'oubliez pas de frotter les callosités et les peaux mortes de vos talons avec une pierre ponce. Vous n'accrocherez plus vos collants en les enfilant et n'aurez plus cette vilaine sensation de « peau de crocodile ».

Si vos pieds sont vraiment rugueux, faites chauffer 3 cuillerées à soupe de beurre de cacao au bain-marie. Ajoutez, lorsqu'il est lisse, 3 gouttes d'essence de souci et 3 gouttes d'essence de lavande. Mélangez soigneusement. Laissez refroidir puis appliquez la pommade en insistant sur les endroits les plus rugueux. Entourez vos pieds d'un film plastique (celui que vous utilisez pour la conservation de vos aliments) et laissez agir 15 minutes. Retirez le film, massez vos pieds pour faire pénétrer le reste de la pommade et retirez le surplus. Cette pommade est aussi connue pour soulager les peaux irritées.

Le cacaoyer ou cacaotier *(Theobrama cacao)*, arbre de la famille des Sterculiacées, pousse aujourd'hui en Afrique occidentale, à Ceylan et en Indo-Malaisie. Son fruit appelé cabosse contient des graines ou fèves de cacao.

En usage externe, **le beurre de cacao** possède des vertus émollientes et lubrifiantes grâce à ses acides gras et à ses composés phénoliques.

Le souci des jardins *(Calendula officinalis)*, plante de la famille des Composées, est cultivé dans toute l'Europe, en Syrie et en Égypte. D'origine méditerranéenne, il était déjà apprécié au Moyen Âge pour sa valeur ornementale.

En usage externe, le calendula (son nom latin employé également dans le langage courant) possède des propriétés anti-inflammatoires, adoucissantes, sédatives et cicatrisantes, dues en particulier à ses acides organiques (acide salicylique).

La lavande vraie *(Lavandula vera)*, plante de la famille des Labiées, est surtout cultivée en Provence sur les pentes calcaires et rocailleuses. On l'exploite également en Europe méridionale et centrale et en Afrique du Nord.

Son utilisation en médecine remonte à l'Antiquité. L'essence de lavande possède une vertu adoucissante grâce à ses flavonoïdes et ses phénols.

POUR ÊTRE BELLE DE L'INTÉRIEUR

LA PEAU EST UN LIVRE QUI RACONTE L'INTÉRIEUR

La peau, enveloppe protectrice de l'organisme, nous protège et nous trahit à la fois.

On ne saurait la considérer comme un tissu isolé, mais comme une partie intégrante de notre corps car la majorité de ses affections pathologiques peuvent provenir d'un déséquilibre interne.

Bien entendu, il est des maladies de peau dont la cause primitive est externe, mais il faut toujours rechercher la présence éventuelle d'une pathologie liée soit au système nerveux, soit au système endocrinien, soit aux émonctoires (foie, rein, tube digestif, circulation…).

Les phanères (cheveux, poils, ongles) font évidemment partie de la peau.

1. REFLET DES CAUSES INTERNES PATHOLOGIQUES

L'acné est une maladie cutanée concernant 90 % des adolescents, qui se traduit par une peau constamment grasse, des comédons fermés (microkystes) ou ouverts (points noirs), des papules, des pustules ou des nodules, dont les lésions peuvent siéger sur le visage, la poitrine et le dos. Outre une situation éventuellement héréditaire ou des facteurs favorisant comme le soleil, les causes internes principales sont les troubles hormonaux chez les adolescents et certains médicaments comme les corticoïdes et les antidépresseurs qui vont intoxiquer tout le système métabolique interne.

La chute des cheveux est un phénomène tout à fait naturel. De nombreuses causes externes peuvent l'amplifier de façon anormale : mycose, lichen plan, eczéma… Mais bien d'autres facteurs peuvent être incriminés : stress, maladies infectieuses, affections parasitaires, traitement par chimiothérapies ou autres drogues dites dures. Ces facteurs vont dérégler et dégrader l'organisme, en perturbant ses fonctions d'élimination et en provoquant son intoxication.

Les démangeaisons et irritations de la peau peuvent être déclenchées par diverses affections de l'épiderme visibles à l'œil nu comme les dartres, l'eczéma, l'herpès, le lichen plan, les mycoses. Mais les problèmes de peau ont aussi d'innombrables causes internes, souvent d'origine allergique : les aliments (fraises, fruits de mer…), l'environnement (pollution, tabac…), les médicaments (certaines pénicillines, certains antibiotiques), une parasitose (oxyures, ver solitaire, ascaris…), certaines maladies du foie (hépatite, parasites…), des substances contenues dans l'alimentation (colorants, conservateurs)… Fort heureusement, les démangeaisons s'arrêtent une fois la cause établie et soignée.
Le signal que représente le problème d'irritations, de démangeaisons, ou d'allergies n'est que la conséquence d'une cause interne.

Les ongles anormaux ou malades peuvent être également le signe de pathologies internes.
La détérioration de leur couleur peut provenir de certains médicaments (chimiothérapie, antibiotiques, antidépresseurs…).
Les stries transversales peuvent apparaître à la suite d'un stress physique (intervention chirurgicale, infection

aiguë…) ou d'un stress psychologique important (deuil, séparation…).

Les ongles mous peuvent être la conséquence d'une diminution des défenses de l'organisme consécutive à une fatigue intense, un régime alimentaire déséquilibré, ou certaines carences vitaminiques.

2. CAUSES INTERNES ENTRAÎNANT DES PATHOLOGIES EXTERNES

L'alcoolisme, qui peut conduire à la cirrhose du foie, entraîne de nombreux problèmes de peau inhérents au mauvais métabolisme du carrefour foie-pancréas-vésicule biliaire.

Plusieurs symptômes peuvent apparaître :
– démangeaisons plus ou moins fortes, atteignant une ou plusieurs parties du corps ;
– coloration jaunâtre de la peau et des muqueuses (ictères ou jaunisse), soit très légère, soit très prononcée ;
– pigmentation anormale de la peau exposée au soleil ;
– couleur anormale du nez à tendance rougeâtre (seulement chez certains individus) ;
– apparition progressive de petits vaisseaux de plus en plus visibles au niveau du visage (ailes du nez et joues).

Les allergies alimentaires ou médicamenteuses, dont l'origine est souvent très difficile à établir (colorants, agents conservateurs, pesticides, antibiotiques…), peuvent avoir de multiples conséquences sur la peau :
– sensation de prurit soit de l'ensemble du corps, soit d'une partie très localisée ;
– urticaire aiguë et chronique, caractérisé par une éruption cutanée de plaques dites érythémateuses souvent décolorées au centre, irrégulières, de dimensions très variables, disparaissant en quelques heures pour réapparaître ailleurs plus tard. Les fraises en sont une cause classique ;

– conjonctivite avec sensation de brûlure oculaire intense, larmoiement et tuméfaction plus ou moins marquée des paupières, allergie où les pollens, les moisissures, les poussières, les poils d'animaux sont le plus souvent incriminés.

Les parasites intestinaux (amibes, douve du foie, bilharzies, ténia, oxyures…) entraînent fréquemment des signes externes qui, d'ailleurs, permettent souvent d'en faire le diagnostic.

Les oxyures intestinaux, affection parasitaire fréquente chez l'enfant, se traduisent principalement par un prurit anal caractéristique.

L'amibiase, parasite pouvant se localiser dans divers organes (intestin, foie, poumons…), peut donner des sueurs inexpliquées, une déshydratation anormale de la peau, un teint jaunâtre et blafard, la sensation d'avoir une peau brusquement vieillie…

Les déficits ou carences vitaminiques ont parfois de fâcheuses conséquences sur les phanères.

Une carence en vitamine A (avitaminose A), résultant d'un défaut d'apport ou d'une mauvaise absorption digestive, peut entraîner des signes oculaires surtout fréquents chez l'enfant avec sécheresse des conjonctives, des signes cutanés muqueux avec sécheresse de la peau, et des muqueuses avec apparition de papules kératosiques sur la face antéro-latérale des avant-bras.

À l'inverse, une intoxication à la vitamine A (hypervitaminose A) chez l'enfant (rarissime chez l'adulte) permet d'observer une perte de cheveux plus ou moins importante, des ongles cassants, une sécheresse de la peau.

Une carence en vitamine C (avitaminose C ou carence en acide ascorbique) s'observe chez l'adulte après quelques mois de régime carencé, avec une alimentation constituée exclusivement de produits de conserve. Or la vitamine C est nécessaire au métabolisme cellulaire et joue un rôle dans tous les tissus comme transporteur d'hydrogène, particulièrement important dans la formation du collagène, de l'os, des dents et des vaisseaux.

La principale conséquence réside en la complication cutanée due à la diminution de la résistance capillaire : on observe des pétéchies (petites taches rouges apparaissant sur la peau, à la suite d'une hémorragie cutanée) localisées aux endroits exposés aux traumatismes, un purpura vasculaire (taches cutanées rouge vif ou bleuâtres d'apparition spontanée), des ecchymoses et des hématomes.

Une carence en vitamine PP (avitaminose PP ou carence en niacinamide) est une affection que l'on trouve dans les populations rurales se nourrissant de maïs ou d'autres céréales pauvres en vitamine PP. Elle cause des troubles cutanés à base d'érythème rouge sur les parties découvertes : à la naissance du cou, l'érythème dessine les limites de l'ouverture du col, la peau est infiltrée d'œdème, elle devient rouge puis desquamée, se pigmente en brun foncé, devient sèche, rugueuse et s'atrophie.

Une atteinte de la fonction rénale, dont le travail de filtration permet d'éliminer de grosses quantités de toxines, peut entraîner un œdème localisé ou un peu plus généralisé qui se caractérise par une infiltration du tissu conjonctif sous-cutané. Les paupières sont le plus souvent atteintes au début de la maladie, ainsi que la face interne des tibias.

Les problèmes endocriniens entraînent bien entendu des problèmes de peau, de cheveux et d'ongles inhérents à certains troubles métaboliques internes. Ces altérations ne peuvent être traitées par des remèdes naturels, et doivent retenir l'attention du patient pour trouver la solution chez des médecins spécialisés.

Les exemples de ces pathologies sont nombreux.

La maladie bronzée d'Addison (insuffisance surrénale chronique primaire) pigmente la peau de taches foncées qui se multiplient au fur et à mesure de l'évolution de cette maladie, et rend la peau sèche.

La maladie de Basedow (hyperthyroïdie primitive) se caractérise par une hyperpigmentation de la peau surtout située au niveau de la face (paupières), une chute diffuse des cheveux et parfois une infiltration œdémateuse de la peau sur les tibias et le dos des pieds.

Le Myxœdème ou insuffisance thyroïdienne se traduit par une peau jaunâtre et sèche, une infiltration œdémateuse cutanéo-muqueuse des mains et du visage, une diminution de la pilosité axillaire et des sourcils, des ongles cassants.

Le syndrome de Cushing (excès chronique de glucocorticoïdes) se manifeste par un faciès dit « lunaire » (hypertrophie et érythème des pommettes), une peau fragile avec de nombreuses vergetures (traces nacrées localisées au ventre dues à l'atrophie des vaisseaux conjonctifs du derme).

3. APPROCHE GLOBALE DU TRAITEMENT

Il importe de garder à l'esprit que tout problème de peau en apparence mineur au départ, peut être la conséquence ou le signal du début d'une pathologie grave. Il ne faut donc pas sous-estimer un petit « bobo ».

De même, le traitement d'une maladie grave doit s'accompagner de traitements naturels de terrain pour drainer en permanence les émonctoires (foie, intestins, reins…), augmenter le tonus de l'organisme et permettre à ce dernier de mieux se défendre, remettre en phase le fonctionnement métabolique de tous les organes atteints et aider les défenses immunitaires à réagir contre toutes les agressions internes ou externes (germes, virus, bactéries, parasites…). Pour cela il faudra drainer la fonction hépato-biliaire, la fonction pancréatique, l'écosystème intestinal et la fonction rénale.

Un simple drainage de ces différents organes, tous d'un rôle capital dans le métabolisme global de l'organisme, peut entraîner non seulement une amélioration, mais encore une disparition de certains symptômes bénins.

Pour maîtriser la maladie elle-même, il faut la considérer dans sa globalité et s'attaquer en profondeur à ses phénomènes nerveux, hormonaux, physiologiques et métaboliques.

La connaissance pharmacologique actuelle des plantes, de leurs enzymes, de leurs vitamines, de leurs oligo-éléments et de leurs principes actifs, permet de savoir le mécanisme précis qu'elles peuvent avoir sur tel ou tel problème.

Les Anciens se basaient sur une connaissance ancestrale et approximative pour l'utilisation des plantes à visée thérapeutique. Les études modernes de leur composition permettent de soigner à l'heure actuelle de manière beaucoup plus ciblée et d'éviter bon nombre d'erreurs sans agresser les organismes.

La finalité est de redonner un état ou une vigueur normale à un cheveu terne, de fortifier la structure d'un ongle cassant, d'arrêter un prurit de la peau et de retrouver l'éclat perdu d'un visage terne et malade.

Pour cela, il faut se donner les moyens thérapeutiques naturels de supprimer le ou les agents agresseurs, de permettre aux organes atteints de se défendre, d'augmenter les résistances de l'organisme dans leur ensemble.

Si ces objectifs sont atteints, les phanères retrouveront une texture normale.

4. VIEILLISSEMENT CUTANÉ ET RADICAUX LIBRES

Le vieillissement cutané se traduit par des modifications spécifiques de l'épiderme et du derme.

Au niveau de l'épiderme, les deux modifications principales sont un amincissement et un aplatissement de la fonction derme-épiderme, ce qui explique le plissement et la flaccidité de la peau devenue trop grande pour les tissus qu'elle recouvre.

Au niveau du derme, c'est-à-dire de la couche plus profonde, se produit également un amincissement par perte des protéines fibreuses et diminution des fibres élastiques et de collagène.

La plupart de ces phénomènes sont causés par l'intervention des radicaux libres au niveau cellulaire.

Qu'est-ce qu'un radical libre ? Son origine est toujours intra-cellulaire. On peut le définir comme un atome ou un groupe d'atomes qui posséderait un électron célibataire sur leur orbitale extérieure. Et cet électron, capté par des molécules lors de diverses réactions enzymatiques et physico-chimiques, va provoquer un effet d'oxydation cellulaire. Il faut donc lutter contre cette oxydation cellulaire – d'où les anti-oxydants cellulaires – et contre les radicaux libres – d'où le terme d'antiradicaux libres. Les principaux anti-oxydants sont les vitamines A, C et E, les polyphénols dont les fruits et les légumes sont riches, l'huile d'olive vierge qui en contient une grande quantité, le sélénium et le zinc. Les scientifiques ont prouvé que l'élasticité de la peau dépend de la qualité des fibres de son derme, l'élastine et le collagène. Avec le temps, ces fibres se détériorent à cause des radicaux libres. Les substances antiradicalaires ou anti-oxydantes sont très nombreuses :

– l'amande douce et la noisette contiennent des vitamines B, E et du magnésium ;
– la noix possède en plus du zinc ;
– le cassis est un antiradicalaire riche en vitamines A, B, C et en magnésium ;
– les agrumes regorgent de vitamines B, C et de magnésium ;
– le melon se compose de vitamines, de magnésium et de glutathion ;
– la pomme est riche en vitamines B, C, E et en flavonoïdes ;
– le raisin renferme des vitamines B, C, E, de la quercitrine, des flavonoïdes et des tanins ;
– la betterave rouge recèle des vitamines B, C et E ;
– la carotte, la laitue et le pissenlit ont des vitamines B, C, E et du magnésium ;
– l'huile d'olive est très riche en acides gras insaturés, anti-oxydants très puissants, ainsi qu'en vitamine E qui évite la formation des radicaux libres.

COCKTAIL VITAMINÉ DU MATIN

Pour commencer une journée avec une énergie féroce, écrasez une banane, mélangez-la à 2 cuillerées à café de miel et 1 cuillerée à café de crème fraîche. Savourez.

La banane est considérée comme une usine à vitamines car elle contient des vitamines A, B et C, du sucre à 80 % et des tanins.

COCKTAIL DE REMISE EN FORME

Passez à la centrifugeuse quatre pommes coupées en morceaux, 500 g de chair de potiron et un citron. Mixez le tout avec un peu de glace pilée jusqu'à l'obtention d'une consistance mousseuse et homogène. Buvez ce cocktail tous les matins et vous vous sentirez totalement revigoré.

La valeur énergétique de **la pomme** provient de sa richesse en sel minéraux (calcium, magnésium, potassium), en vitamines (A, B et C) et en glucides (oses et osides). Le phosphore qu'elle contient sert de fortifiant au système nerveux.

Le citron renferme de nombreuses substances énergétiques telles que : des glucides (inositol, pectine et saccharose), des matières minérales (calcium et potassium), des acides organiques (acides citrique, malique et formique) et des vitamines (A, B et C).

COCKTAIL POUR LA BEAUTÉ DU TEINT

Buvez tous les matins en quantité égale dans un grand verre du jus d'orange additionné de jus de carotte.

Pour purifier l'organisme et éclaircir le teint, passez à la centrifugeuse de la rhubarbe et des fraises fraîches en quantité égales. Ajoutez 1 cuillerée à soupe de miel et buvez matin et soir.

Le jus d'orange est antiasthénique, fortifiant, laxatif et cholérétique. Il participe au traitement des troubles gastriques, hépatiques et intestinaux, grâce à sa teneur en acides aminés, enzymes, vitamines et composés phénoliques.

La carotte accroît la résistance du corps contre les infec-tions, lutte contre les irritations gastro-hépatiques, régula-rise les fonctions intestinales (constipation ou diarrhée) grâce à sa composition en vitamines, acides organiques et phénols.

La rhubarbe possède des propriétés apéritives, laxatives, toniques et stomachiques grâce à ses tanoïdes, et à ses dérivés anthracéniques.

Les fraises renferment des vitamines (A et B), des flavo-noïdes et des acides organiques qui lui donnent des ver-tus antiasthéniques, fortifiantes et tonifiantes pour la peau.

COCKTAIL ANTIFATIGUE

Prenez le jus de deux oranges, ajoutez-y un jaune d'œuf, 1 cuillerée à café de miel et quelques gouttes de citron pour empêcher le tout de noircir… Ce sera plus agréable à boire. Buvez de ce mélange tous les matins.

La teneur importante en vitamines de **l'orange** est un puis-sant antiasthénique.

Le jaune d'œuf contient de la lécithine qui est un bon reconstituant et qui permet d'accroître l'appétit.

COCKTAIL DE DÉSINTOXICATION

Manger des papayes et des pamplemousses matin et soir en cure permettra l'élimination des toxines de l'organisme.

La papaye contient un complexe enzymatique, la papaïne, qui digère les protéines, les pectines et certains polysaccharides.

Le pamplemousse agit sur le transit intestinal grâce à sa composition en vitamine C, en acide folique et en pectines.

CURE DE PRINTEMPS

Ce que nous avons appelé « cure » n'est rien d'autre que l'expression du bon sens chez nos grands-mères. En effet nos aïeux se nourrissaient au rythme des saisons. À l'époque, il n'y avait pas de fraises en hiver… Grâce ou à cause de la rapidité du commerce international qui nous permet de manger de tout n'importe quand, nous avons un peu perdu le sens de cette sagesse. Il ne s'agit ici que de la retrouver.

À chaque changement de saison, l'organisme adapte et transforme son métabolisme et ses énergies. Vous devez donc privilégier dans votre alimentation les fruits et les légumes qui correspondent aux saisons. La cure de 15 jours ne signifie pas qu'il ne faut manger que ces ingrédients, mais leur donner la préférence.

Par exemple, pour la cure de printemps, vous pouvez faire une bonne salade de pissenlit et de chicorée suivie d'une grillade et de fruits, ou alors des asperges suivies d'un poisson grillé ou en papillote. Vous n'aurez pas pour autant l'impression de faire un régime et vous vous sentirez beaucoup mieux.

Une cure de printemps se fera entre le 16 et le 30 mars pour les phénomènes de désintoxication, d'épuration et de régénération.

Les fruits et légumes correspondant à cette saison sont les suivants : citrons, pamplemousses, oranges, pommes, poires, fraises, asperges, carottes, pissenlit, chicorée, radis noirs.

CURE D'ÉTÉ

La cure d'été est une cure d'épuration. La période idéale pour l'effectuer se situe entre le 15 et le 30 juin. Cette cure permettra d'éliminer les toxines de l'organisme grâce à la stimulation des fonctions d'élimination.

De plus, cette cure pourra entraîner une légère perte de poids très utile.

Les cerises, les pêches blanches, les abricots, les melons, les légumes verts et les tomates aideront les émonctoires cellulaires à accomplir leurs fonctions.

CURE D'AUTOMNE

La cure d'automne doit se pratiquer entre le 20 et le 30 septembre pour trois actions favorables à l'organisme : la désintoxication, la reminéralisation et la dynamisation. Il faudra donc absorber et savourer les fruits et légumes suivants : pêches jaunes, carottes, châtaignes, noix, riz complet, raisin, jus de pomme et jus d'argousier.

CURE D'HIVER

Pour augmenter les défenses de l'organisme, pour tonifier le système intestinal et pour lutter contre toutes les infections, la cure d'hiver devra se faire entre le 1er et le 15 décembre.
Les champignons, l'huile d'olive, les fruits frais, les fruits secs et les fruits oléagineux, les choux, les pommes et les carottes constituent l'ensemble des aliments compatibles avec la cure d'hiver.

INDEX PAR PRODUIT

Mains douces
Mains écorchées
Masque nourrissant
Ongles abîmés
Peau desquamée
Peau douce
Peau sèche (visage)
Peau souple
Stimulation de la circulation sanguine
Visage flétri

Amidon
Couperose
Démangeaisons
Savon personnalisé

Argile
Couperose
Masque nourrissant
Peeling naturel

Avocat
Peau grasse (visage)
Peau sèche (visage)

Avoine
Bain au son d'avoine
Fumigations et gommages
Gommage
Peeling naturel
Rougeur des mains

Banane
Cheveux abîmés et cassants
Cocktail vitaminé du matin
Peau sèche (visage)
Mains sèches

Bardane
Dartres

Basilic
Peau fraîche et veloutée

Baume du Pérou
Mains écorchées

Betterave
Pattes d'oie

Beurre
Démaquillants
Mains douces
Mains sèches

Bicarbonate de soude	Démangeaisons
Bière	Cheveux mous
Blé	Bain au son de blé
	Bain relaxant
	Baume nourrissant pour les lèvres
	Prolongation du bronzage
	Rides précoces autour des yeux
	Ventre plat
	Visage flétri
Bleuet	Lèvres sèches
	Paupières ridées
	Yeux fatigués
Bouleau	Cheveux souples et doux
	Taches brunes sur les mains
Bourrache	Pores dilatés
Bruyère	Dartres
	Taches de rousseur apparaissant au soleil
Cacao	Coup d'éclat au chocolat
	Pieds rugueux
	Rides précoces autour des yeux
Calendula	Marbrures occasionnées par le froid
	Ongles striés
	Pieds rugueux
	Reflets dorés sur cheveux clairs
Camomille	Bain amincissant
	Bain relaxant
	Démaquillants
	Fumigations et gommages
	Lotions
	Paupières ridées
	Reflets dorés sur cheveux clairs
	Shampooing pour cheveux blonds
	Visage congestionné
	Yeux fatigués

Camphre	Baume contre les douleurs
	Compresse reposante
	Mains moites
Cannelle	Poux
Capucine	Chute des cheveux
Carotte	Cocktail pour la beauté du teint
	Cure d'automne
	Cure d'hiver
	Cure de printemps
	Dartres
	Dentifrice maison
	Prolongation du bronzage
	Teint brouillé
	Teint clair
	Teint éclatant
Cerfeuil	Huile antivieillissement
	Yeux irrités
Chocolat	Coup d'éclat au chocolat
Chou	Cure d'hiver
	Peau grasse (visage)
	Teint clair
Cire	Baume nourrissant pour les lèvres
	Lèvres gercées
	Ongles abîmés
Citron	Beauté des seins
	Cheveux gras
	Cocktail antifatigue
	Cocktail de remise en forme
	Coudes rugueux
	Cure de printemps
	Dentifrice maison
	Épilation des jambes
	Fumigations et gommages
	Gommage
	Lotions
	Mains tachées

Masque au miel et à l'œuf
Masque nourrissant
Ongles abîmés
Peau grasse (corps)
Peau grasse (visage)
Peau sèche (visage)
Points noirs
Prévention contre les coups de soleil
Reflets cuivrés sur cheveux châtains
Shampooing pour cheveux blonds
Taches brunes sur les mains
Taches de rousseur apparaissant au soleil
Taches de rousseur héréditaires
Teint clair
Vieillissement des mains
Visage tonifié
Yeux brillants

Clou de girofle   Baume contre les douleurs
Dentifrice maison
Pellicules

Coing   Reflets dorés sur cheveux clairs
Yeux fatigués

Concombre   Démaquillants
Lotions
Peau grasse (visage)
Points noirs
Rougeur des mains
Teint clair

Crème fraîche   Teint clair
Visage flétri

Cresson   Chute des cheveux
Teint clair

Cyprès   Huile de massage

Encre de Chine   Beauté des sourcils

Épinard   Dartres
Peau desquamée

Esprit-de-vin	Brillantine
Eucalyptus	Rougeur des mains
Fenouil	Beauté des seins
	Démangeaisons
	Infusion minceur
Figue	Gerçures
Fraise	Acné
	Cocktail pour la beauté du teint
	Cure de printemps
	Dentifrice maison
	Inflammation des paupières
	Mains tachées
	Pattes d'oie
Fromage blanc	Soin du décolleté
Fucus vésiculeux	Bain amincissant
	Infusion minceur
Genièvre	Huile de massage
	Ongles striés
Géranium	Huile antivieillissement
	Pellicules
	Stimulation de la circulation sanguine
Germe de blé	Baume nourrissant pour les lèvres
	Prolongation du bronzage
	Rides précoces autour des yeux
Girofle (huile essentielle)	Baume contre les douleurs
Glycérine	Brillantine
	Lèvres sèches
	Mains abîmées
	Mains douces
	Rougeur des mains
Henné	Chute des cheveux
Huile	Mains écorchées

Huile de paraffine	Huile de massage
Hysope	Bain de jouvence
Iris	Odeurs tenaces sur les mains
	Savon personnalisé
Lait	Acné
	Bain de jouvence
	Bain relaxant
	Beauté des seins
	Cheveux mous
	Démaquillants
	Gommage
	Mains tachées
	Peau desquamée
	Peau sèche (visage)
	Peeling naturel
	Soin du décolleté
	Stimulation de la circulation sanguine
	Visage flétri
Lait (crème)	Prévention contre les coups de soleil
Laitue	Acné
	Couperose
	Feu du rasoir
	Teint clair
	Yeux irrités
Lanoline	Baume nourrissant pour les lèvres
	Bras rugueux
	Coudes rugueux
	Jambes et genoux rugueux
	Lotions
	Mains écorchées
	Rides précoces autour des yeux
	Vieillissement des mains
Lavande	Bain relaxant
	Démaquillants
	Pieds douloureux
	Pieds rugueux

	Points noirs
	Savon personnalisé
	Transpiration des pieds
Lavande (miel)	Acné
	Cheveux abîmés et cassants
	Gerçures
	Jambes et genoux rugueux
	Peeling naturel
Lécithine	Ongles abîmés
Levure de bière	Fumigations et gommages
	Peau douce
Lierre	Visage boursouflé
Lin	Beauté des seins
	Crevasses
Lys	Gerçures
	Marbrures occasionnées par le froid
Mandarine	Dentifrice maison
Mangue	Peau douce
Marjolaine	Cheveux fortifiés
	Irritation de la peau
Melon	Cure d'été
	Masque au melon
Menthe	Bain tonifiant
	Dentifrice maison
	Gommage
	Pieds douloureux
	Stimulation de la circulation sanguine
Miel	Bain de jouvence
	Baume nourrissant pour les lèvres
	Cocktail antifatigue
	Cocktail pour la beauté du teint
	Cocktail vitaminé du matin
	Démangeaisons
	Épilation des jambes

Gerçures
Infusion minceur
Irritation de la peau
Lèvres sèches
Masque au miel et à l'œuf
Masque nourrissant
Odeurs tenaces sur les mains
Ongles abîmés
Peau grasse (visage)
Peau soyeuse
Teint clair
Visage flétri

Miel de Bretagne Gerçures

Millepertuis Peau souple

Moelle de bœuf Cheveux secs

Myrtille Jambes légères

Néroli Bain relaxant

Noix (huile) Gerçures
Peau soyeuse

Noyer Jambes lourdes
Mains moites

Œillet Dentifrice maison

Œuf Cheveux abîmés et cassants
Cheveux mous
Cheveux secs
Masque au miel et à l'œuf
Masque capillaire nourrissant
Massage à l'œuf
Peau douce
Peau souple
Peau soyeuse
Taches de rousseur héréditaires
Teint clair
Vieillissement des mains
Visage flétri

Visage tonifié

Oignon   Cors au pied et durillons
Verrues

Olive (huile) Cheveux abîmés et cassants
Coudes rugueux
Couperose
Crevasses
Cure d'hiver
Dartres
Démaquillants
Feu du rasoir
Fortifier les ongles
Gommage
Jambes lourdes
Lèvres gercées
Mains écorchées
Masque capillaire nourrissant
Ongles abîmés
Peau fraîche et veloutée
Peau souple
Peau soyeuse
Pellicules
Ridules provoquées par le soleil
Taches de rousseur apparaissant au soleil
Ventre plat

Olivier   Ongles abîmés

Orange   Beauté des seins
Cocktail antifatigue
Cocktail pour la beauté du teint
Couperose
Cure de printemps
Dentifrice maison
Huile antivieillissement
Mains tachées
Peau soyeuse
Points noirs
Pores dilatés
Teint clair

Visage flétri
Yeux brillants

Oranger
(huile de fleur)

Coup d'éclat au chocolat
Peau grasse

Origan (huile)

Irritation de la peau

Ortie

Cheveux fortifiés
Chute des cheveux
Pores dilatés

Oseille

Mains tachées

Pain

Cors au pied et durillons

Pamplemousse

Cure de désintoxication
Cure de printemps
Peau grasse (corps)
Teint clair

Pêche

Cure d'automne
Cure d'été
Mains écorchées
Peau souple
Ridules provoquées par le soleil
Soin du décolleté

Persil

Odeurs tenaces sur les mains
Taches de rousseur apparaissant
au soleil
Teint brouillé

Pin (aiguilles)

Fumigations et gommages
Transpiration des pieds

Pin (essence)

Poux

Pissenlit

Bain amincissant
Infusion minceur
Verrues

Plantain

Crevasses
Fumigations et gommages
Inflammation des paupières

Poire	Cure de printemps
	Nettoyage de peau
Pomme	Beauté des seins
	Dentifrice maison
	Œil au beurre noir
	Peau relâchée
	Peau soyeuse
	Visage boursouflé
Pomme de terre	Dartres
	Douceur des mains
	Odeurs tenaces sur les mains
	Pattes d'oie
	Poches sous les yeux
	Visage boursouflé
Pomme de terre (fécule)	Couperose
Prêle	Bain amincissant
	Taches blanches sur les ongles
Pruneau	Ventre plat
Raifort	Stimulation de la circulation sanguine
Raisin (huile de pépin)	Peau desquamée
	Ridules provoquées par le soleil
Rassoul	Peeling naturel
Rhum	Beauté des seins
	Cheveux gras
	Cheveux gris
	Cheveux secs
	Masque capillaire nourrissant
	Pellicules
Ricin (huile)	Brillantine
	Cheveux gras
	Chute des cheveux
	Dartres
	Yeux irrités

Romarin	Bain de jouvence
	Bain tonifiant
	Cheveux abîmés ou cassants
	Cheveux secs
	Cheveux ternes
	Chevilles enflées
	Chute des cheveux
	Infusion minceur
	Marbrures occasionnées par le froid
	Ongles striés
	Pattes d'oie
	Poches sous les yeux
	Points noirs
	Poux
	Rides précoces autour des yeux
	Savon personnalisé
Rose	Bain de jouvence
	Baume nourrissant pour les lèvres
	Beauté des seins
	Lèvres gercées
	Paupières ridées
Rose (eau)	Beauté des sourcils
	Compresse reposante
	Démaquillants
	Inflammation des paupières
	Lotions
	Mains écorchées
	Peau sèche (visage)
	Peeling naturel
	Points noirs
	Pores dilatés
	Vieillissement des mains
	Visage congestionné
Sarriette	Huile de massage
	Ongles striés
Sauge	Bain de jouvence
	Cheveux gras
	Cheveux gris

Cheveux ternes
Dentifrice maison
Shampoing pour cheveux foncés
Transpiration des aisselles
Transpiration des pieds

Savon de Marseille Mains abîmées
Savon personnalisé
Shampoing pour cheveux foncés
Shampooing pour cheveux blonds

Sel Bain de jouvence
Bain détoxiquant
Bain tonifiant
Coudes rugueux
Fumigations et gommages
Gommage
Mains douces
Pieds douloureux
Pieds lourds
Stimulation de la circulation sanguine
Transpiration des aisselles
Transpiration des pieds
Verrues

Sésame (huile) Démaquillants

Son Démaquillants

Souci Marbrures occasionnées par le froid
Ongles striés
Pieds rugueux
Reflets dorés sur cheveux clairs

Sucre Cheveux secs
Épilation des jambes
Taches de rousseur héréditaires

Sureau noir Rougeur des mains

Thé Bronzage au thé
Cheveux gras
Cheveux gris
Poches sous les yeux

	Reflets cuivrés sur cheveux châtains
	Yeux brillants
	Yeux congestionnés après un lifting
Térébenthine	Marbrures occasionnées par le froid
Thym	Bain de jouvence
	Chute des cheveux
	Mains moites
	Nettoyage de peau
	Peeling naturel
Thym (essence)	Poux
Tilleul	Bain sédatif
	Fumigations et gommages
	Peau grasse
	Pieds lourds
	Visage congestionné
Tomate	Cure d'été
	Mains douces
	Mains tachées
Tournesol (huile)	Masque au melon
Vaseline	Mains tachées
	Prolongation du bronzage
Verveine	Beauté des seins
	Lotions
	Ongles striés
	Visage congestionné
	Visage tonifié
Vin (blanc)	Chute des cheveux
Vin (saint-émilion)	Cheveux fortifiés
	Cheveux secs
Vinaigre	Bain de jouvence
	Beauté des seins
	Cheveux fortifiés
	Chute des cheveux
	Cors au pied et durillons

	Démangeaisons
	Gommage
	Transpiration des pieds
Vinaigre de cidre	Cheveux abîmés et cassants
	Cors au pied et durillons
	Gommage
	Odeurs tenaces sur les mains
	Peau grasse (corps)
	Pellicules
Vinaigre de vin blanc	Stimuler le cuir chevelu
Violette	Bain de jouvence
	Peau desquamée
Yaourt	Cheveux secs
	Gommage
	Ventre plat

GLOSSAIRE

Alcalin
Qui possède un caractère basique défini par l'excès des ions hydroxydes sur les ions hydrogènes.

Alcaloïde
Nom générique de diverses substances organiques d'origine végétale.

Allergique
Qui développe une réaction inadaptée de l'organisme avec une substance (ex : poussière, pollen, etc...).

Alopécie
Chute ou absence totale ou partielle des cheveux et des poils.

Analgésique
Qui diminue ou supprime la douleur.

Angio-protecteur
Qui protège les organes de la circulation.

Antalgique
Produit ou procédé qui atténue la douleur.

Antiasthénique
Qui lutte contre l'affaiblissement fonctionnel.

Antibactérien
Qui s'oppose à la prolifération microbienne.

Antibiotique
Qui s'oppose à la prolifération microbienne.

Antifongique
Qui s'oppose à la prolifération des champignons.

Antiseptique
Qui détruit les bactéries et empêche leur prolifération.

Antiviral
Substance utilisée pour lutter contre la pénétration ou le développement de virus dans l'organisme.

Aromatique
Qui dégage un parfum agréable.

Astringent
Qui resserre.

Bactéricide
Qui détruit les bactéries.

Balsamique
Qui contient un baume ou en a la propriété.

Baume
Médicament aromatique à usage externe.

Cataplasme
Dilution plus ou moins épaisse d'une farine dans un liquide. En application (froide ou chaude) : substance végétale écrasée, bouillie ou hachée et appliquée sur le corps directement ou à travers un linge.

Cholagogue
Substance qui facilite l'évacuation de la bile.

Cholérétique
Substance qui stimule la sécrétion de la bile.

Compresse
Pièce de gaze utilisée pour nettoyer, badigeonner, panser, assécher une plaie, une contusion, un champ opératoire.

Décoction
Mettez les plantes dans de l'eau froide. Couvrez et portez l'ensemble doucement à ébullition. Laissez bouillir à feu doux le temps indiqué puis retirez du feu. Vous pouvez, si cela est nécessaire, laisser infuser après la décoction. Passez et buvez.

Dépuratif
Qui purifie le sang.

Desquamation
Exfoliation de l'épiderme sous forme de squame ou de plaques.

Diurétique
Qui augmente la sécrétion urinaire.

Émollient
Qui relâche et qui détend.

Émonctoire
Organe qui évacue de l'organisme les déchets de la nutrition et des différents métabolismes.

Endocrinien
Qui a rapport aux glandes endocrines (thyroïde, surrénales...).

Énergétique
Qui apporte beaucoup d'énergie à l'organisme.

Érythème
Congestion cutanée qui donne lieu à une rougeur de la peau.

Exfoliant
Qui favorise la séparation des parties mortes qui se détachent sous forme de lamelles.

Follicule
Organe en forme de petit sac.

Fumigation
Action de produire une fumée ou une vapeur sur une partie du corps à traiter.

Gastrique
Qui a rapport à l'estomac.

Infusion
Jetez dans l'eau bouillante les plantes à infuser. Laissez le temps indiqué pour un « remède » ou un effet plus ou moins fort (thé). Passez et buvez. Les infusions et décoc-

tions doivent être bues peu de temps après leur préparation. Elles doivent être préparées de préférence avec de l'eau de source (évitez l'eau du robinet, évitez aussi les eaux trop minéralisées).

Laxatif
Purgatif léger.

Macération
La macération se fait dans de l'huile, du vin, de l'alcool ou du vinaigre. Laissez tremper vos plantes le temps indiqué (cela peut aller de quelques heures à plusieurs semaines). Passez puis exprimez le « jus » qui reste dans les plantes en les « tordant » dans un torchon propre comme pour les gelées de fruits.

Métabolisme
Ensemble des échanges qui s'accomplissent dans l'organisme.

Muqueuse
Membrane tapissant une cavité du corps humain et humectée d'un fluide dit muqueux.

Occlusion
Obstruction d'un conduit ou d'une ouverture naturelle.

Onguent
Mélange d'une substance grasse et d'éléments végétaux pour application externe.

Pathologie
Ensemble des signes par lesquels une maladie se manifeste.

Reminéralisant
Qui redonne les substances minérales nécessaires à l'organisme.

Résolutif
Qui fait disparaître les inflammations et détermine la résolution des engorgements.

Rubéfiant
Qui irrite la peau, la rend rouge.

Sédatif
Qui calme les douleurs.

Spasmodique
Qui atténue les spasmes.

Stomachique
Propre à rétablir le mauvais fonctionnement de l'estomac.

Sudoripare
Qui secrète la sueur.

Syndrome
Ensemble de signes, de symptômes qui appartiennent à une entité clinique mais dont les causes peuvent être diverses.

Tachycardie
Accélération permanente ou paroxystique du rythme cardiaque.

Thérapeutique
Relatif au traitement et à la guérison des maladies. Propre à guérir.

Tonique
Qui augmente la vigueur de l'organisme.

Toxine
Poison de nature protéique produit par des bactéries, des parasites ou par certains champignons.

Vaso-constricteur
Qui réduit le calibre des vaisseaux.

BIBLIOGRAPHIE

AMSALLEM-RODE (Catherine), RAYJAL (Michèle), *La beauté c'est naturel*, Éditions Balland, Paris, 1982.

ANDRE (E.), *Secrets de beauté, Recueil de conseils utiles et pratiques,* 1919.

ASSAILLY (Gisèle d'), *Fards et Beauté ou l'Éternel Féminin*, Hachette, Paris, 1958.

AUCLAIR (Marcelle), *La Beauté de A à Z, Dictionnaire de beauté et santé*, 1949.

BARTOLETTI (Carlo Alberto), LEGRAND (Jean-Jacques), PINTO (Raul), *Manuel pratique de médecine esthétique*, Éditions Société française de médecine esthétique, 1998.

BEZANGER-BEAUQUESNE (L.), PINNKAS (M.), TORCK (M.), TROTIN (F.), *Plantes médicinales des régions tempérées*, Éditions Maloine, Paris, 1980.

BINET (Docteur Claude), *Vitamines et Vitaminothéraphie*, Éditions Dangles, Saint-Jean-de-Braye, 1986.

BLAUNAC (Yvonne de), *La Beauté au naturel ou Comment fabriquer soi-même des produits de beauté naturels*, Éditions C. Lacour, Nîmes, 1992.

BOUHANNA (Docteur Pierre), DARDOUR SPRINGER (Docteur Jean-Claude), *Chirurgie de la calvitie*, Éditions Verlas, Paris, 1994.

CONTIER-CHERVIN (M.), *Recettes de beauté à travers les âges*, Grande imprimerie nouvelle, Montluçon, 1961.

CONWAY (David), *The Magic of herbs*, Éditions Cape, 1973.

DORVAULT, *L'Officine*, Éditions Vigot, Paris, 1995.

FRONTY (Laura), *Mes trucs de beauté et de santé*, Éditions Marabout, 1986.

FRONTY (Laura), *Les Secrets de grand-mère*, Éditions du Chêne, Paris, 1999.

GALTIER-BOISSIERE (Docteur), *Larousse médical illustré*, Librairie Larousse, Paris, 1924.

HOUQUES (Nicole), DEL OLMO (Henri), CAVAGLIONE (M. C), *Les Secrets de beauté au naturel*, Éditions du Chêne, Paris, 2000.

KAMIR (Barbara), *Les Conseils de beauté*, Éditions Olivier Orban, 1979.

LACOSTE (Sophie), *Beauté et soins naturels du visage*, Éditions Marabout, Belgique, 1998.

MARTINEAU (G.), *Les Merveilleux Secrets de santé de ma grand-mère*, Éditions Jacques Grancher, Paris, 1980.

MAURY (Docteur) et DELARGE (Jean-Pierre), *Soignez-vous par le vin*, Éditions du jour, Paris, 1974.

MONTES (Lola), *L'Art de la beauté chez la femme*, Librairie Jules Taride, Paris.

NICOLLE (Rose), *163 recettes pour faire soi-même des produits de beauté*, Éditions Nillson, Paris.

PIERNTONI, *Dictionnaire d'esthétique appliquée*, Éditions Les nouvelles esthétiques, 1994.

PUGET (Henry) et TEYSSOT (Régine), *Mes remèdes de grand-mère*, Éditions Minerva, 2000.

RAWDIN (Liliane et Scott), *Caravelle*, Monpazier, 1983.

REYMOND (Évelyne), *Soignez votre beauté comme les héroïnes de roman*, Édition Brault de Bournonville, 1990.

RUBINSTEIN (Helena), *Mes secrets de beauté*, Éditions du Seuil, Paris, 1967.

SANDERSON (Liz), *Je fabrique moi-même mes produits de beauté naturels*, Éditions Retz, Paris, 1979.

SCHAUENBERG (Paul) et PARIS (Ferdinand), *Guide des plantes médicinales*, Éditions Delachaux et Niestlé, Paris, 1977.

STAFFE (Baronne), *Le Cabinet de toilette*, 1891.

Ouvrages collectifs, revues et thèses

Surveillances et Protocoles 2001, Éditions scientifiques L et C, 2001

« Être femme, votre guide de beauté mode et mieux vivre », *Encyclopédies et connaissances*, Éditions Ramsay, Paris, 1979.

Beauté pratique. Mains et Cheveux. Pour votre corps. Pour votre visage, Éditions Service SA, Genève, 1980.

Soins de beauté, être au naturel présent, Éditions Compagnie Internationale du Livre (CIL), Paris.

Achevé d'imprimer en juillet 2003
sur les presses de l'imprimerie Pollina à Luçon - n° L90801.
Dépôt légal : août 2003
Imprimé en France